Gouvernement du Québec – Programme de crédit d'impôt
pour l'édition de livres – Gestion Sodec

Nous reconnaissons l'aide financière du gouvernement du Canada
par l'entremise du Fonds du livre du Canada pour nos activités d'édition.

Les filles modèles, 5. Romance K.O.
© **Les éditions les Malins inc.**, Marie Potvin
info@lesmalins.ca

Éditeur : Marc-André Audet
Éditrice au contenu : Katherine Mossalim
Correctrices : Corinne De Vailly, Fleur Neesham et Dörte Ufkes
Illustration de la couverture : Estelle Bachelard
Conception de la couverture : Shirley de Susini
Directrice artistique : Shirley de Susini
Mise en page : Nicolas Raymond

Dépôt légal – Bibliothèque et Archives nationales du Québec, 2016
Dépôt légal – Bibliothèque et Archives Canada, 2016

ISBN : 978-2-89657-361-5

Imprimé au Canada

Tous droits réservés. Toute reproduction d'un quelconque extrait
de ce livre par quelque procédé que ce soit est strictement interdite
sans l'autorisation écrite de l'éditeur.

**Les éditions les Malins inc.**
Montréal, QC

*À Sandrine*
*Déjà une artiste* ♡

# Avec en vedette :

 **Marie-Douce**
*Brisson-Bissonnette*

 **Laura**
*St-Amour*

# Chapitre 1

## HAAAA!

### Une teinture qui sème la terreur

Miranda est assise sur une chaise à mes côtés. On dirait qu'elle va tomber dans les pommes. Biche lui évente le front en répétant : « Ça va aller, Miranda, votre fille sera très belle, vous verrez ! » Une chance que Laura est créative ; elle lui a fabriqué un éventail de papier avec un dépliant publicitaire. Le visage de Georges, quant à lui, est presque aussi rouge que la mixture visqueuse dont est recouverte ma tête.

Tout cet émoi est causé par une petite décision à laquelle personne ne s'attendait : aujourd'hui, je teins mes cheveux en rouge.

*Rouge pompier.*

*Ouaip… comme une boîte aux lettres. Ou un feu de circulation. Ou un père Noël.*

Et ce que personne ne sait encore, c'est que je veux les couper court. TRÈS court.

– Tu vas faire mourir ta mère… chuchote Laura dans mon oreille.

Miranda est peut-être en convulsions, mais Laura, elle, s'amuse comme une folle.

– Ça va aller, maman ?

Ma mère ne semble pas en état de répondre à ma question. À demi allongée dans son fauteuil, elle ressemble à une femme en train d'accoucher.

– *Pffou Pffou Pfouf… sssh sssh sssh.*

– C'est ça, respirez, Miranda, l'encourage Biche.

— Les joues de Miranda sont presque magenta fluorescent. On dirait qu'elle va exploser, murmure encore Laura.

Georges émet un son guttural pour marquer son impatience. Depuis le début de la journée, il nous appelle « mademoiselle » comme il le fait pour Biche. Ça doit être parce qu'il est énervé.

— Mademoiselle Laura, je vous prierais de vous asseoir…

Ma sœur s'esclaffe en tapotant l'épaule de mon coiffeur et styliste. Je pense qu'elle ne s'habituera jamais à se faire dire « vous ».

— Pas de trouble, mon beau Georges. Tu sais, je pense que tu devrais respirer, toi aussi.

— Laura ! rugit Miranda entre deux respirations profondes. C'est irrespectueux, cette façon de t'adresser à Georges.

— OK… OK… C'est juste de la teinture, y a pas de quoi en faire une tragédie. En plus, ça sera super beau pour son spectacle de danse, on ne verra qu'elle tellement elle va *flasher* ! s'exclame Laura avec entrain.

Mon rôle dans le spectacle, ouille ! j'avais complètement oublié ça… Hier après-midi, madame Herrera, la prof de danse de l'école, m'a accostée dans le couloir. Elle m'a dit qu'elle connaissait madame Lessard, ma prof privée, et que celle-ci lui avait vanté mes habiletés. Elle lui a dit que j'étais capable de tenir un rôle de premier ordre dans le spectacle et qu'en plus, j'avais l'air d'un ange… (C'est raté! Après cette teinture et la coupe que je vais demander à Georges, j'aurai plutôt l'air d'une petite diablesse!)

Elle m'a proposé de remplacer Maude-Anne Latreille, qui s'est blessée à la cheville, et d'être la partenaire de Mathis Clément (dont elle m'a vanté l'incomparable talent). J'ai accepté sans trop réfléchir (peut-être aussi parce que j'ai une inhabileté complète à dire non!). Je ne sais même pas qui est ce Mathis Clément. Quand j'ai mentionné son nom aux filles, Alexandrine m'a raconté qu'elle le connaissait et qu'il était gentil. « Il est du genre à faire des crisettes ridicules quand il est contrarié, par contre », a-t-elle ajouté. Tant qu'il accepte ce changement de partenaire avec maturité, c'est tout ce qui compte pour moi! Déjà que je suis loin d'être sûre que madame Herrera appréciera ce nouveau look, j'aimerais autant avoir un allié pour me soutenir. Je suis censée représenter un ange. *Oupsss! Trop tard…*

— Ma création… soupire Georges. Ma belle création… Ce blond divin que j'avais concocté est maintenant en ruine. Voilà que je suis contraint à cela ! Une coloration de punk ! Tssss !

George laisse tomber le mot « punk » avec un tel dégoût qu'on croirait qu'il a failli vomir.

— Hé, t'es pas un martyre, tout de même, renchérit ma sœur.

— Laura !

— Okééé, Okééé…


Durant le temps requis pour faire reposer ma teinture, c'est au tour de Laura de recevoir l'attention des professionnels de la beauté. Pendant que Georges lui coupe une nouvelle frange plus droite, presque carrée, Biche lui installe des rallonges pour créer une chevelure sensationnelle instantanée. Ce n'est pas encore fini, mais je vois déjà que le résultat sera remarquable.

Il m'a fallu une longue semaine pour convaincre ma mère d'accepter de me laisser teindre mes cheveux en rouge. J'ai argumenté que c'était pour ma fête. Comme j'avais « échappé » mon iPhone à l'eau et que j'avais beaucoup de peine (oh, la vilaine menteuse !), tout ce que je voulais, c'était ça : un nouveau look. J'ai omis le léger détail de la coupe qui me fait envie… Une chose à la fois ! Miranda est déjà en train de mourir à cause de ma couleur… Je dois y aller par étapes.

Je ne voulais pas mentir à propos de mon iPhone, mais Laura m'a convaincue : je ne peux pas jeter à l'eau un objet aussi dispendieux juste parce que j'ai eu un instant de déprime. « Ton père va te tuer », m'a-t-elle dit. « Mon iPhone était un cadeau de Valentin et Miranda, pas de mon père… », ai-je rétorqué. « Mais ton père n'aime pas le gaspillage. Dire que t'aurais pu me le donner au lieu de le noyer… pffff… Je m'en suis pas encore remise. Mon traumatisme est sévère, t'sais », a renchéri ma sœur.

Laura a raison, en théorie. Ce qu'elle ne comprend pas, c'est que « noyer » mon iPhone m'a fait un peu de bien. Comme si je tuais ma peine, en quelque sorte. Ça m'a défoulée. Durant toute la semaine qui vient de passer, elle a soupiré des « j'en r'viens pas… », des « un iPhone à la mer… » et des « pffff… dire que j'aurais pu hériter d'un iPhone, mais noooon, il fallait le noyer… » Chaque fois, je lui ai tapoté le dos en lui disant « c'est juste un téléphone… » et « un jour, t'en auras un… » et « arrête de soupirer, tu m'énerves… »

Lorsque je passe au lavabo (en réalité, c'est l'évier de la superbe cuisine des Cœur-de-Lion), je suis étrangement calme. Malgré tout le chaos que cette décision (pourtant anodine, c'est juste des cheveux!) a causé, je n'ai pas trop d'attentes. Pour être honnête, je m'en fiche un peu, du moment que je n'ai plus l'air d'une Barbie. Le silence de Lucien depuis la sortie de l'article – dans lequel il affirmait ne pas avoir de blonde – m'a poussée à mettre mes émotions en mode neutre. Ce faisant, je n'ai pas eu d'autres migraines, ce qui est une victoire en soi! Même si Laura n'arrête pas de me crier: «Tu sais, Marie-Douce, c'est difficile pour Lucien de t'écrire SI T'AS PLUS DE IPHOOOONE!»

Elle a raison, mais c'était justement ça, le but: étouffer la communication. Pas de messages: pas de bonheur, mais pas de malheur non plus. Je lui ai tout de même répondu: «Lucien peut très bien passer par Corentin s'il veut vraiment me parler. Il ne l'a pas fait, alors… » À cela, Laura n'a pas eu de réplique facile à part un petit «il est très possible que Corentin ne te dise pas tout…» Ma sœur a peut-être raison, mais j'ai confiance en Corentin.

Georges place une serviette blanche sur ma tête. La cuisine a été transformée en salon de coiffure maison pour l'occasion. Demain, Georges s'envolera vers Paris. Je lui ai dit que je pouvais aller dans un salon de coiffure ordinaire, mais il a insisté: «Si tu dois faire un changement aussi radical, j'aime

14

autant que ce soit moi qui le fasse. J'aurai l'esprit plus tranquille », a-t-il affirmé.

Wow, il prend vraiment ma tête au sérieux, cet homme bizarre.

– Attention de ne pas salir mon évier ! s'exclame Gisèle. Déjà que vous prenez ma cuisine en otage pour en faire un salon de beauté improvisé, pas question d'avoir à nettoyer des gouttelettes de teinture rouge partout.

Une fois ma chevelure rincée et épongée, il ne reste plus qu'à retirer la serviette, sécher mes cheveux et voir le résultat. Je me rassois pour la suite et je retiens mon souffle.

Ai-je fait une gaffe ?

# Chapitre 2

## La sirène

Je viens de gagner plusieurs centimètres d'épaisseur de cheveux bruns soyeux en moins d'une heure! Waouh! C'est génial, des rallonges! Et agréable en plus, je ne les sens même pas, ou presque. Voilà au moins une bonne chose dans ma vie. Après la semaine atroce que je viens de traverser, en laissant croire à ma sœur que je sors encore avec Samuel alors qu'il ne m'adresse plus la parole, un changement de tête, ça fait du bien.

J'ai passé mon temps à dire à Marie-Douce que Samuel était occupé. Quand je le voyais apparaître dans mon champ de vision et que Marie-Douce était là, je l'entraînais ailleurs, juste pour ne pas qu'elle l'aperçoive et remarque que nous ne nous parlons pas.

Je pourrais simplement lui avouer qu'on a cassé… mais elle poserait trop de questions et je finirais par flancher et lui révéler la vérité: on s'est disputés à cause d'elle.

Cette histoire au sujet de l'article sur Lucien que Constance a montré à Marie-Douce par jalousie a fini par régler un problème majeur: Constance et moi, c'est terminé. Je n'ai plus à marcher sur des œufs entre elle et Alexandrine. Ça veut aussi dire que je n'ai plus à faire semblant que Samantha ne me tombe pas sur les nerfs dès qu'elle ouvre la bouche. Je peux désormais tout simplement être amie avec Alex et passer du bon temps avec elle.

La vie avec Alexandrine Dumais n'est jamais plate. Oh que non! Elle parle de sorcellerie, de magie, de Ouija et de vaudou. Il ne faut pas croire tout ce qu'elle raconte, mais c'est fascinant! Au moins, elle est positive et pleine d'ambition. Elle connaît ma vie presque par cœur et s'improvise conseillère plus souvent qu'à son tour. Évidemment, je ne suis pas tous ses conseils (Alex a des opinions un peu extrêmes), mais c'est agréable de se sentir soutenue. Elle sait qu'entre Samuel et moi, c'est terminé, mais refuse de me laisser baisser les bras. Elle sait aussi que je ne désire pas l'annoncer à Marie-Douce. Elle me trouve bien tarte de ne pas le faire. « Tu te donnes du trouble pour rien! » m'assure-t-elle. « C'est pas de ta faute si Constance est niaiseuse! » insiste-t-elle.

Je suis encore dans la cuisine. Biche est allée chercher un autre miroir pour que je puisse voir de quoi ma nouvelle coiffure a l'air de tous les côtés. C'est absolument magnifique. Pourquoi est-ce que je n'ai jamais eu la patience de laisser mes cheveux allonger? Je finis toujours par avoir le goût de faire changement et je les coupe avant qu'ils n'atteignent une longueur intéressante. Mais là! Watatow! J'ai l'air d'une actrice!

À quelques mètres, Marie-Douce découvre sa chevelure. Quand la serviette blanche glisse dans les mains de Georges, ce dernier cache sa bouche de sa main. Même si les cheveux de ma sœur sont encore mouillés, la différence est spectaculaire. Ses yeux, déjà très bleus, semblent briller de loin! Si le but de ma sœur était de paraître différente sans être trop belle (c'est tout à fait son genre de vouloir être moins belle), j'ai bien peur qu'elle vienne de manquer son coup. Elle est magnifique!

Lentement, Miranda se lève de son siège en fronçant les sourcils, Georges incline la tête, un petit sourire sur ses lèvres minces et Biche éclate d'un rire sonore.

– C'est extraordinaire! Vite, Georges, le séchoir, je veux voir le résultat final! s'exclame-t-elle.

Ce dernier s'active, pris d'une motivation soudaine. À grands coups de brosse d'une main experte, il travaille mèche par mèche pour leur rendre leur éclat.

– On dirait un personnage de film animé, dis-je, émerveillée.

C'est clair, Marie-Douce devrait avoir le rôle d'Arielle si Disney décide d'en faire un film réaliste.

– Et voilà, dit Georges. Magnifique !

Oh, mon Dieu, est-ce que c'est une larme au coin de sa paupière ?

– Qu'est-ce que je vous avais dit, hein, Georges ? s'exclame Biche avec un sourire vainqueur.

– Wow, s'extasie Miranda, Marie-Douce, tu es vraiment belle ! Jamais j'aurais cru !

– Vite, passez-lui une glace ! dit Biche. Pauvre Marie-Douce, elle n'a pas encore vu le résultat !

Je m'occupe du miroir, le tendant avec enthousiasme à ma sœur pour qu'elle admire son nouveau look. Le lustre que la couleur donne à ses cheveux, qui lui arrivent au milieu du dos, est presque irréel. Même si j'adore ma nouvelle tête avec mes rallonges et ma frange, je suis un peu jalouse de l'effet qu'a la couleur pompier sur le visage délicat de Marie-Douce. Avec elle dans les alentours, personne ne remarquera ma nouvelle tête !

– C'est bien, murmure ma sœur, lorsqu'elle pose un premier regard dans la glace.

Sa réaction me déçoit un peu. Elle est MAGNIFIQUE ! Pourquoi fait-elle cet air sérieux ? On dirait qu'elle ne voit pas son reflet, ni à quel point son nouveau look est spectaculaire !

– C'est beau, han, Marie-Douce ? dis-je.

– Oui… mais ce n'est qu'une partie du changement, annonce-t-elle.

Euh… Je suis perplexe. Qu'est-ce qu'elle veut dire par là ?

– Ben voyons ! C'est super… C'est quoi l'autre partie ? Tu m'as jamais parlé de ça !

Ma sœur pince les lèvres ; elle fuit mon regard, ainsi que celui de tout le monde dans la cuisine.

– Tu ressembles à Arielle la petite sirène, mais en plus belle ! dis-je. Pourquoi voudrais-tu faire autre chose ?

– Peut-être, mais c'est pas ça le but. Je ne veux pas ressembler à une princesse !

– Ne bouge pas, dit Corentin en prenant une photo avec son iPhone.

– Hé ! Pas de photo, ma transformation n'est pas terminée, proteste ma sœur.

– Trop tard, dit Corentin en agitant son iPhone. C'est pour la postérité.

Il sourit en glissant son téléphone dans la poche de ses jeans. À ses côtés, Georges s'énerve sérieusement.

– Mais que veux-tu de plus, Marie-Douce ? demande ce dernier, exaspéré.

Ma sœur étend le bras vers le comptoir et saisit les ciseaux de Georges.

– Hé ! Personne ne touche à mes ciseaux à mille euros !

– Marie-Douce… qu'est-ce que tu fais… ?

*Ooooh ! ma sœur a un plan derrière la tête ! Ça s'en vient intéressant !*

Elle arque son corps pour fouiller dans la poche de ses jeans d'où elle sort un papier replié sur lui-même qui ressemble à une coupure de magazine.

– Georges, j'aimerais que tu me fasses cette coupe, s'il te plaît.

Le coiffeur saisit le papier, jette un coup d'œil à l'image et pâlit. Je ne peux pas voir, mais ça semble terrible !

– Mademoiselle Marie-Douce, je ne peux absolument pas faire ça ! s'écrie-t-il.

*Quoi, quoi, quoi ? Faire QUOI ?*

Georges jette l'image sur le comptoir et s'éloigne en glissant une main impatiente dans sa propre chevelure. Miranda, Corentin, Biche et moi nous précipitons en même temps sur le bout de papier abandonné. À la vue de la photo d'une fille aux cheveux courts et « spikés » dans tous les sens, Corentin éclate de rire, Biche sourit, Miranda émet un grognement épeurant et moi, je suis sans voix.

– Tu veux avoir l'air de ça ? demande Corentin d'une voix rieuse.

À ces mots, un silence de mort tombe dans la cuisine. Georges consulte Miranda du regard et celle-ci secoue la tête avec énergie.

— Pas question de couper sa superbe chevelure, déclare-t-elle.

Biche pince les lèvres, elle semble réfléchir à cent milles à l'heure.

— Si c'est la couleur qui te chagrine, on peut essayer une coloration châtain foncé par-dessus... on ne verrait que des reflets rouges...

Georges dépose ses mains sur ses hanches, les sourcils froncés.

— Je ne fais pas ce genre de réparation, cela ne donne jamais de bons résultats. Elle aura l'air louche, dit-il. Tant que je vivrai, personne ne dira : Georges a réparé ses dommages ! Elle est bien comme ça !

— Hé ! Arrêtez de parler de moi comme si j'étais pas là ! C'est ma tête et je veux avoir cette coiffure-là !

— C'est non, ma puce, affirme Miranda, les bras croisés. Pas question de te faire cette coupe de cheveux. Il faudra me passer sur le corps ! Tu es ravissante et c'est tout ce qui importe.

— C'est tout ce qui t'importe à toi, maman !

Sur ce, Marie-Douce lève les précieux ciseaux de Georges à la hauteur de son oreille, saisit une poignée de cheveux et coupe à quelques centimètres de son crâne. Elle n'a même pas l'air affectée lorsqu'elle dépose la longue mèche rouge sur le comptoir avant de tendre l'instrument à Georges.

— Ma décision est prise, dit-elle. Je peux finir la coupe moi-même si tu préfères.

À quelques mètres de moi, un gros *plok* retentit. C'est Miranda qui vient de perdre connaissance.

Ma mère s'est remise de son évanouissement, mais elle n'était pas de bonne humeur, alors je me cache dans le placard d'urgence. Je ne peux pas croire que j'ai fait une chose pareille! Je ne me sens pas mal d'avoir coupé mes cheveux, ça non! Toutefois, j'aurais pu m'y prendre autrement. Ma pauvre mère s'est évanouie! Je souhaitais, pour une fois, m'affirmer... me faire entendre, soulager cette partie de moi qui souffre d'avoir perdu Lucien. Cher Georges, ça va prendre du temps pour qu'il s'en remette! Et Laura, jamais elle n'a été aussi surprise. Je n'aurais pas cru voir ça un jour.

Maintenant, il faudra faire en sorte que madame Herrera ne soit pas trop déçue. Au pire, je porterai une perruque ou autre chose. Il y a toujours une solution. Ce ne sont que des cheveux, après tout. J'ai justement un bandeau noir très large qui couvrira la majeure partie de ma tête lors des répétitions. *Y a rien là!* Et puis, si mon camouflage est efficace, madame Herrera ne remarquera peut-être pas le changement...

La porte du placard d'urgence s'ouvre d'un coup sec. Laura apparaît devant moi. Sa nouvelle frange encadre son visage de façon admirable.

— Alors, madame la rebelle! T'es fière de ton coup? Je ne peux pas croire que t'aies fait ça!

s'exclame-t-elle. Tu sais que tu viens de gagner mon respect pour l'éternité? T'es comme une héroïne de film d'action futuriste. Il ne te manque que le costume serré et la grosse carabine qui lance des lasers.

Je ris en touchant mes mèches courtes.

– C'est vrai? Alors, mon but est atteint. Il paraît qu'« être forte » est le nouveau « être belle ». J'espère juste que c'est pas trop laid.

Elle hausse les sourcils, les yeux ronds.

– Tu pourrais porter un mohawk et tu ne serais pas laide, Marie-Douce. Mais qu'est-ce qui t'a pris?

– Je ne sais pas... Je tenais à changer, à ne plus être blonde. J'avais oublié ma promesse à madame Herrera... Cette conversation s'est passée si vite qu'il a fallu que tu en parles pour que je m'en souvienne! Mais ça devrait aller... Je vais mettre un bandeau.

Ma sœur s'assoit à mes côtés sur le petit matelas de sol de notre placard secret, les jambes croisées en Indien, jouant distraitement avec un des coussins décoratifs.

– Ben oui, madame Herrera va comprendre, elle est super gentille.

– C'est vrai qu'elle n'a pas la réputation d'être incompréhensive, mais je déteste décevoir les gens.

Changer de tête aussi radicalement était la décision la plus folle de toute ma vie.

— Non, la décision la plus folle de ta vie, c'était d'accepter d'être ma sœur. T'as pas idée du risque que t'as pris ! Ç'aurait tellement pu mal tourner ! dit Laura en riant.

Après quelques secondes à m'esclaffer, je pose la question qui m'obsède depuis le début de la semaine :

— Où est donc Samuel ? Je gage que t'as hâte de lui montrer la nouvelle toi !

À l'expression qu'elle me sert, je devine que j'ai touché un point sensible. Comment peut-elle croire que je ne sache pas que Samuel et elle ont cassé ? Je suis consciente de ne pas être de celles qui connaissent tous les potins de l'école, mais je ne vis pas sur Neptune. Je pourrais la forcer à me confier la vérité, mais je veux que ça vienne d'elle. Je l'aide un peu en abordant le sujet, voilà tout. Pourquoi ne l'avoue-t-elle pas ? Je croyais qu'on ne se cachait rien, ma sœur et moi ! Ça me rend triste, tous ces secrets…

— Il est… euh… au hockey.

Je lui souris comme si je la croyais. Mais pourquoi est-ce qu'elle s'entête à garder le silence ?

*Allez, Laura, dis-moi la vérité ! Je pourrai te consoler comme tu l'as si bien fait pour moi !*

– Ah… et tu vas le voir quand ?

– Hé, j'y pense, j'ai oublié de te dire que j'ai vu quelque chose de vraiment bizarre parmi les graffitis sur le mur dans la salle F !

Elle esquive encore mes questions. Ce n'est pas la première fois depuis le début de la semaine. Je soupire et fais comme si je n'avais pas remarqué qu'elle a changé de sujet comme une fille qui cache quelque chose…

– Qu'est-ce que t'as vu sur le mur ? Raconte.

Elle sort son iPod de sa poche, le tapote quelques secondes, puis me donne l'appareil. C'est la photo d'un graffiti.

– Oh, c'est quoi, tu penses ?

– Je ne sais pas… mais j'ai tout de suite pensé à Corentin, me dit Laura. En tout cas, une chance que c'était pas écrit « E.S. + Coco » ! Je pense que j'aurais apporté un pot de peinture à l'école !

— C'est qui, E.S. ?

Elle me fait une grimace de dégoût. Un peu plus, elle cracherait à terre, comme ces gaillards des vieux westerns avec leurs pistolets aux hanches.

— Érica St-Onge ! Elle essaie de parler à Corentin trop souvent à mon goût ! S'il faut qu'elle lui mette le grappin dessus, c'est elle qui va avoir un graffiti dans le front !

— Je ne pense pas que Corentin s'intéresse à Érica…

— Il est en mal d'amour à cause de toi, il peut devenir désespéré. Et on ne sait jamais ce qu'un gars désespéré peut faire ! Érica est un vautour…

J'éclate de rire. Laura est tellement dans son scénario que des plis se dessinent sur son front tant elle force pour froncer les sourcils. Je savais qu'elle n'aimait pas Érica, mais je n'avais pas saisi à quel point !

— OK, mais comme c'est pas écrit E.S. + Coco, je pense qu'il ne faut pas s'en faire avec elle.

— Ouais… t'as raison…

— Alors, C.B., c'est qui, d'après toi ?

— C'est ça que je me demande… Qui aurait ces initiales ?

— Camille Beauregard… Cloé Bisaillon, Clara Brissette…

— Mais attends, C.B., c'est peut-être le garçon. Euh… Colin Lanthier… non, ça ne marche pas, ça prend un nom de famille qui commence par B.

— Mais Colin Lanthier, dit Laura en réfléchissant, ça fait Coco.

— Colin Lanthier est un petit maigre boutonneux qui regarde toujours le sol. Même s'il est très gentil, je doute fort que Colin fasse palpiter les cœurs.

— Qu'est-ce qui te dit que c'est pas son cœur à lui qui palpite?

— T'as raison. Euh… un autre… Cory Bullum!

— L'Américain qui vient d'arriver et qui parle un français approximatif? C'est possible. Le fait qu'il ne parle pas notre langue peut lui donner un air mystérieux. Il peut aussi bien être Coco ou C.B.

— Colette Dupuis!

— Colette Dupuis… mmmm… c'est une petite blonde un peu énervée. Tout à fait le genre à écrire des graffitis. Elle fait plein de cœurs sur son agenda, c'est hyper possible.

— Corinne Després…

— Corinne, ouais, c'est possible. Mais elle a déjà un chum, non? Mathis chose, là, c'est quoi son nom déjà?

Laura secoue la tête pour me corriger.

– Nah, ils ont cassé, ces deux-là, dès la première semaine d'école.

– Cooooooo...

– Constance, dis-je, d'une voix neutre.

– Ben non, c'est C.D. pour Desjardins...

– C'est une Coco!

Laura, qui regardait encore la photo avec beaucoup de concentration, redresse la tête brusquement.

– Ben oui, t'as raison. Mais à l'école, personne ne l'appelle Coco. Alors que Corentin, j'ai souvent entendu des filles le surnommer comme ça, affirme Laura.

– T'oublies que la personne qui a fait ce graffiti, ça peut être le garçon et non la fille! dis-je.

– J'en serais surprise, c'était sur le mur de l'entrée des toilettes des filles. C'est sûr qu'un garçon peut avoir écrit ça là quand même... mais je demeure convaincue que ce cœur est l'œuvre d'une fille. Hé! Ça peut être deux filles ou deux gars!

– En effet, y a rien d'impossible.

– C'est peut-être des étudiants plus vieux... de secondaire 4 ou 5, suggère Laura.

– T'as raison. Ça doit être quelqu'un qu'on ne connaît pas. Quoique... Pourquoi est-ce que cette personne serait venue faire son graffiti dans la salle F ?

Un court silence s'installe entre nous, puis des coups à la porte du placard nous font sursauter.

*Bang ! Bang ! Bang !*

Je reconnais le rythme, c'est Corentin. Qui d'autre frapperait avec autant d'énergie ?

— Hé, les filles ! Qu'est-ce que vous faites ? Pourquoi vous vous cachez ?

Laura saisit mon bras avant que j'atteigne la poignée pour ouvrir.

— Oh, mon Dieu, j'espère qu'il ne nous a pas entendues parler de lui.

— Mais non, on ne parlait pas fort.

— T'es sûre ?

— Certaine ! On chuchotait ! Je peux ouvrir la porte, maintenant ?

Laura secoue la tête.

— Corentin ne peut pas entrer ici ! C'est notre domaine sacré ! affirme-t-elle.

— Je sais… t'en fais pas… On ne le laisse pas entrer, c'est nous qui allons sortir.

— C'est notre temps entre filles ! Va-t'en ! dit-elle assez fort pour qu'il entende.

— Fais pas l'enfant, Laura ! Ouvre cette porte ! insiste Corentin.

*Bang ! Bang ! Bang !*

Je soupire en souriant.

– Ça va, je vais sortir et aller répéter mes mouvements de kara-ballet. J'avais justement demandé à Corentin de me donner son avis sur mes nouveaux enchaînements.

– Je viens avec vous ! s'exclame Laura.

*Bang ! Bang ! Bang !*

– Ça va, ça va, on ouvre… dis-je en me levant.

# Chapitre 4

## Bravo...

Georges nous a quittés tôt ce matin pour un vol direct vers Paris. À mon immense bonheur, Biche a décidé de tenter sa chance en tant que maquilleuse au Québec. Elle s'est loué un petit appartement à Montréal, pas loin des studios de télé au centre-ville. J'imagine que Valentin et Miranda ne sont pas étrangers aux perspectives de carrière qui se présentent à elle. Je sais que Miranda adore Biche autant que nous, elle a dû plaider en sa faveur. Tant mieux. Elle m'a promis de revenir nous voir souvent, surtout qu'elle n'a pas encore d'amis dans la région. Hier soir, au moment de se dire au revoir, elle m'a répété en détail comment entretenir mes rallonges. Une vraie mère poule. Elle a offert ses services à Marie-Douce pour son spectacle de danse. Ma sœur a accepté sans hésiter. Nous l'adorons !

Aujourd'hui, dimanche, c'est la vraie date d'anniversaire de Marie-Douce. Même si nous l'avons fêtée des semaines à l'avance lors du bal chez les Cœur-de-Lion, je veux qu'on ait un petit souper tranquille, juste pour nous. De plus, ça lui changera les idées. Une petite fête de famille intime avec seulement Hugo, ma mère, ma sœur et moi, ce sera très agréable.

Je lui ai acheté un beau chandail, cette semaine. Gris avec les manches blanches, d'un coton duveteux d'une excellente qualité (je me suis dit qu'après son magasinage à Paris, la barre était haute). J'en voulais un pareil pour moi, mais mon budget microscopique était à sa limite. De toute façon, à l'âge que nous avons, jouer les fausses jumelles, ç'aurait été un peu niaiseux. Je crois qu'Hugo lui a acheté un bracelet en argent, ceux auxquels on peut ajouter des breloques de toutes formes et couleurs. Ce sera chouette!

Madame Lessard arrive pour le cours de danse. C'est Gisèle, la cuisinière, qui ouvre. Ma sœur descend le grand escalier sur la pointe des pieds (Marie-Douce est très gracieuse, on dirait toujours qu'elle plane quelques centimètres au-dessus des marches).

La professeure, toujours aussi antipathique, marmonne «je n'ai pas que ça à faire» et elles partent très vite ensemble vers le gymnase à l'étage. Mon père m'attend pour le dîner avec Martine et bébé Frédérique. Est-ce que Xavier Masson y sera? Sûrement, puisqu'il vit chez eux, désormais. Mais je n'ai pas posé la question, je préfère vivre dans le déni. Si je fais semblant qu'il n'est pas installé dans ma vie pour y rester, je peux respirer en paix. Du moins, tant que je ne suis pas devant le fait accompli.

*Ouais… moi et mes pensées magiques…*

J'ai presque envie de recommencer mon petit manège de missions pour m'en débarrasser comme je l'avais essayé avec Marie-Douce. Mais nooon… je ne ferai pas ça. J'ai eu ma leçon. Les missions, ça m'a menée à être la risée de l'école, à perdre mes amis… Je ne me suis jamais sentie aussi seule de toute ma vie. Non, je ne tenterai pas de faire fuir Xavier, ça pourrait trop facilement se retourner contre moi. Surtout qu'il est de plus en plus ami avec Samuel.

*Samuel… Juste à penser à lui, mon cœur se serre. Quel gâchis !*

Le pire, c'est que Samuel et moi, nous n'avons pas cassé parce qu'on ne voulait plus être ensemble. Certainement pas. Nous venions tout juste de vivre nos premiers moments magiques, notre premier vrai baiser. Ça n'aura pas pris cinq minutes pour que tout soit gâché par Constance. Son pleurnichage, ses accusations quant à l'attitude d'Alexandrine, sa jalousie envers Marie-Douce auront eu raison de notre bonheur. Il aurait été plus prudent pour nous de ne pas prendre parti. Il défend sa tante (Constance) en lui donnant – selon moi – un ÉNORME bénéfice du doute malgré l'évidence : elle jouait la comédie ! Et moi, je prends la défense de Marie-Douce (encore, toujours et pour l'éternité) et d'Alexandrine (même si elle aurait pu y aller plus mollo dans ses commentaires, mais je dois admettre que plus je la fréquente, plus je la connais et plus je l'aime).

Cette malheureuse situation a dégénéré en une guerre inutile entre les Desjardins (Samuel, Constance et Samantha) et Alexandrine et moi. C'est tellement ridicule. Personne ne gagnera. Et tout ça pour quoi ? La fierté de Constance ? Plus le temps passe, plus je déteste cette peste. Elle a beaucoup changé depuis que Marie-Douce est revenue de Paris. Peut-être qu'elle a toujours été comme ça et que sa jalousie n'a fait que révéler ses vraies couleurs.

Demain, ça fera une longue semaine que Samuel m'évite, que je mens à Marie-Douce et qu'Alexandrine adresse de petits sourires vainqueurs à Constance, qui, elle, se promène dans les couloirs de l'école la tête baissée comme une martyre. C'est beau à voir !

Pour empirer les choses, Samantha se fait un devoir de dire à qui veut bien l'entendre que je suis méchante. Je suis d'ailleurs surprise qu'elle n'ait pas encore accosté Marie-Douce pour lui raconter tout ça juste pour être certaine de la troubler. Elles sont tellement jalouses d'elle ! Pfff, du peu que j'en sache, c'est peut-être déjà fait. Marie-Douce étant comme elle est, elle ne m'en parlerait pas pour ne pas m'énerver.

Ces réflexions sur les événements de la semaine dernière tournent ainsi en boucle dans ma tête depuis des jours. Je me parle même à voix haute ! Je devrais arrêter de tout analyser, Corentin me l'a répété des dizaines de fois : « Tu te fais du mal pour rien ! Si ton Samuel a un peu de jugeote, il va se réveiller et constater que sa tante est une connasse ! Tant qu'il ne réagit pas de lui-même... tu ne peux rien faire. »

Mon ami me fait bien sourire, mais une chose est certaine : Samuel ne semble pas du genre à se retourner contre sa famille, ou à changer d'idée. Il est têtu comme une mule. Dois-je tenter quelque chose ? L'approcher et lui parler ? Si je me fie aux indices que Corentin me donne au compte-gouttes, je crois que je ferais mieux de ne pas bouger. Malheureusement, la patience... ce n'est pas ma spécialité.

Tout en marchant, je secoue la tête pour me ressaisir. Je dois cesser de me parler toute seule, comme ça, en pleine rue. S'il faut que quelqu'un que je connais passe en voiture et me voie gesticuler dans le vide, c'en sera fait de ma réputation. On dira partout dans l'école que je suis devenue folle à lier. Heureusement, la distance entre la résidence des Cœur-de-Lion et celle de mon père n'est pas très grande : à peine dix minutes. À mon arrivée devant le bungalow blanc, je vois que la Jeep de mon père est là, mais pas la voiture de Martine. Un rideau bouge à la fenêtre. Quelqu'un m'a vue arriver. Qui m'ouvrira ? Je gage n'importe quoi que Xavier ne se portera pas volontaire.

— Laura ! Vite, ça va refroidir !

Comme prévu, ce n'est pas Xavier Masson qui est sur le seuil de la porte, mais bien mon père. Il porte une toque de cuisinier et un tablier rouge avec l'inscription « Super chef des hamburgers ». Ça sent les briquettes de charbon de bois et le bœuf haché cuit à la perfection.

Ma demi-sœur (qui me ressemble tellement que je pourrais la surnommer « Petite-Moi ») est assise dans sa chaise haute et fait de grands yeux en me voyant apparaître. Sur la tablette devant elle, des frites et des morceaux de viande gisent pêle-mêle, quelques morceaux écrabouillés par ses petites mains enduites de nourriture.

— On ne donne pas des frites à un bébé de six mois, encore moins du steak haché !

Non, mais, c'est vrai! Même moi je sais ça! (J'ai vu un documentaire à la télé.) Mon père lâche un juron pas très beau avant d'interpeller Xavier. Ce dernier sort de la salle de bains, cheveux mêlés, sans chandail et les pantalons tombants sur le bas de ses hanches, laissant voir le haut de son caleçon. Il n'y a pas à dire, c'est la grande classe... Au moins, il est beau. C'est d'ailleurs sa seule qualité.

– Quand je t'ai demandé de nourrir Fred, ça voulait dire lui donner sa purée! Pas de partager ton assiette!

Xavier fait un demi-sourire en se grattant la tête, mettant ainsi un désordre encore plus fou dans sa chevelure (comme si c'était possible).

– Ahhh... Mais elle a des dents, alors...

– Où est Martine?

– Chez sa mère jusqu'à demain pour l'aider à réaménager sa cuisine... répond Xavier.

– J'espère qu'elle ne comptait pas sur toi pour jouer les nounous!

– Hé, ton père est là! Je ne suis pas le gardien!

– Une chance!

Lui qui avait ri de moi au sujet des changements de couches, je constate qu'il n'est pas si expert qu'il le laissait croire. J'ai envie de lui dire ma façon de penser. Dans ces moments d'impulsivité, je songe à ce que Marie-Douce ferait si elle était à ma place. Elle a un don pour ne pas envenimer les situations. Elle ne le provoquerait pas et c'est exactement ce que je vais faire. Pour ne pas rester plantée comme un piquet, je dépose ma veste sur le dossier d'une chaise et j'ouvre le réfrigérateur. C'est la première fois que je fais ça ici. Et la question se pose : suis-je chez moi ou non ?

— C'est OK si je fouille dans le frigo ?

— Bien sûr, ma grenouille, t'es chez toi, ici, dit mon père.

Ah bon, alors, ça répond à ma question. D'ailleurs, le contraire m'aurait étonnée.

— Ben oui, la grenouille, répète Xavier en riant.

Évidemment qu'il allait sauter sur la première occasion pour me niaiser. Respire, Laura... Ne te laisse pas dévier de tes bonnes résolutions...

— La purée, c'est dans quel pot ?

Quelqu'un tapote mon épaule. Je ferme la porte du frigo pour me redresser. Xavier est près de moi, souriant, un pot de nourriture pour bébé à la main.

— Carottes et patates douces, ça semble être ça qu'il faut lui donner, dit-il.

Je lève une main pour saisir le pot, mais il le lève dans les airs, hors de mon atteinte. Xavier est grand, il peut jouer à ce petit jeu longtemps !

– Dis : s'il te plaît !

– T'es con ! Donne.

Pfff, il mérite de se faire dire la vérité, non ?

Je ne sais pas ce qu'Alexandrine lui trouve, à ce grand tarla. Il est le parfait exemple que, dans la vie, il n'y a pas que la beauté qui compte. Parfois, les gens trop beaux n'ont pas à faire d'efforts de personnalité et ça en fait des gens désagréables. Xavier Masson est un de ceux-là.

– Ça va, pas la peine de prendre tes grands airs, St-Amour. Tiens.

Du bout des doigts pour être certaine de ne pas toucher Xavier – même par accident –, je saisis le petit récipient de verre. Zut, ce n'est pas ouvrable, ces pots-là. Aussi, pour éviter de lui donner une autre raison de se moquer de moi, je dois faire semblant que c'est facile. S'il ne voit pas les veines qui sortent de mon cou tellement je force, peut-être qu'il ne s'en apercevra pas…

– Besoin d'aide pour l'ouvrir ?

– Agaaaaaarrrhaaagaa ! Haaaaaa ! Pttttt ! babille Petite-Moi en tapant sur sa tablette de chaise haute.

Ça y est, même le bébé se moque de moi. Toujours sans regarder Xavier, je cherche le tiroir des ustensiles. Quelques coups de couteau sur le bord du couvercle devraient aider à relâcher la succion qui le rend impossible à ouvrir.

– Qu'est-ce que tu fais là ? Tu vas le casser, donne-moi ça, espèce de cruche.

C'est pas vrai, il essaie de me l'ôter pour l'ouvrir ! Ah non ! J'ouvrirai ce pot moi-même et sans son aide, même si ça prend des heures.

– Laisse-moi faire !

– T'es donc ben bébé ! dit-il, sans me lâcher.

Voilà qu'il est dans mon dos, ses bras de chaque côté de mes épaules. Il oublie que j'ai un couteau dans la main et que rien ne m'arrêtera de faire à ma tête ! Je continue à frapper le pot et ce qui doit arriver arrive, mon dernier coup frappe quelque chose de tendre. Je devine que c'est sa main au cri qu'il jette dans mes oreilles.

– Ouch ! Espèce de folle, tu m'as coupé la main !

– Han ? Pour de vrai ?

Zuuttt, je l'ai amputé ! Il y a du sang dans l'évier ! Oh Seigneur ! Est-ce qu'il va mourir d'une hémorragie ? Il faut que je signale le 911 et vite ! Le téléphone sans fil est là, Dieu merci ! Sans attendre une seconde, je pianote le numéro.

– Laura, qu'est-ce que tu fais ? s'écrie Xavier d'une voix énervée. C'est juste une petite coupure !

Oupsss… Je raccroche donc vite fait. Pas besoin de parler à la madame qui répond et lui faire perdre son temps.

— Ah… t'es OK, alors ? Je m'excuse, mais t'avais juste à ne pas te mettre la main sous le couteau ! C'est toi, la cruche.

Évidemment, mon père, qui était sur la terrasse en train de cuire les hamburgers au BBQ, est alerté par nos cris et ceux de Fred qui commence à pleurer. Alors que, pendant ces instants de panique, le téléphone sonne sans que personne puisse répondre, il referme la porte vitrée d'un élan très fort et s'avance vers nous, les sourcils froncés.

— Qu'est-ce qui se passe ici ?

— Ta fille m'a coupé !

*Hé ! Qu'est-il arrivé à « c'est juste une petite coupure » ?*

Xavier tient sa main dont le sang commence à couler de façon inquiétante. Il en a sur le ventre et quelques gouttes ont souillé le plancher. Oh, mon Dieu, il va se vider de son sang et j'aurai sa mort sur la conscience !

— Laisse-moi voir… dit mon père.

Je croise le regard défiant de Xavier qui montre sa blessure à mon père.

— T'auras besoin de points, dit-il. Pour l'instant, il faut arrêter le saignement. Laura ! Dans la salle de bains, dans l'armoire à gauche du lavabo, il y a une trousse de premiers soins. Peux-tu aller la chercher, s'il te plaît ?

Quelques minutes plus tard, la main de Xavier est bandée d'une gaze blanche et mon père saisit ses clés pour emmener son protégé à l'urgence, mais on sonne à la porte.

— Je vais répondre ! dis-je, pour me rendre utile.

J'ouvre à un agent de police aussi grand que mon père. Dans la rue, je vois deux voitures aux lumières rouges et bleues. Un autre homme en uniforme vient de descendre de l'un des véhicules, sa main sur son arme. Je ravale ma salive avec peine. Que se passe-t-il donc ?

— Quelqu'un a téléphoné au 911 et a raccroché. Est-ce que tout va bien ici ?

— Comment… le savez-vous ? dis-je, bêtement.

— Est-ce que tout va bien ? insiste l'agent de police.

Seigneur, il est sérieux, le monsieur.

— Mon euh… frère (pourquoi je dis ça, moi ? Xavier Masson n'est pas mon frère !) s'est coupé la main… mais on n'a pas besoin de la police…

— Laura ! C'est qui ?

Mon père soupire en saisissant mon épaule pour m'éloigner du seuil et prendre ma place devant l'agent.

– Êtes-vous Daniel St-Amour ? Quelqu'un a appelé le 911 de chez vous. La répartitrice a entendu un cri, la ligne a coupé et personne n'a répondu lorsqu'elle a rappelé.

Mon père inspire une longue bouffée d'air et jette un regard interrogateur sur moi.

– Ben euh… j'ai paniqué, mais quand j'ai vu que c'était seulement une coupure, j'ai pas voulu déranger et euh… j'ai raccroché.

– En les laissant croire que tu avais peut-être une arme pointée sur toi ! rugit papa. Ou que tu t'asphyxiais dans un nuage de fumée.

Je cligne des paupières plusieurs fois, éberluée par ce que mon père vient de me faire réaliser. Mon cœur bat à tout rompre ! Quelle belle gaffe ! Et maintenant, l'agent s'adresse à moi d'un ton condescendant.

– Quand on appelle le 911, c'est sérieux. Raccrocher sans confirmer à la répartitrice des appels qu'il s'agit finalement d'une fausse alerte entraîne des déplacements inutiles. Nous ne pouvons pas deviner s'il s'agit d'un feu, d'un vol ou d'un accident et nous ne courons aucun risque. Si tu refais ça, il peut y avoir un constat d'infraction.

— Oh non…

Derrière nous, Xavier fait mine d'applaudir au ralenti avec sa main bandée. Sur ses lèvres, je peux lire « Bra-vo » dans un sourire méprisant.

# Chapitre 5

## Un Laura-drame

Déjà lundi matin. Une autre semaine d'école s'amorce. Nous sommes chez mon père et Nathalie, dans le Vieux-Vaudreuil. Le souper d'hier soir était bon. Nous avons mangé des mets mexicains (j'adore la crème sure et le guacamole) et j'ai eu droit à un gâteau rose et blanc entouré de Froot Loops (dans l'assiette, pas sur le gâteau, ç'aurait fait des céréales molles, beurk!). Il faudra que je mentionne un jour que ma folie des Froot Loops est passée… mais je crains de ruiner le plaisir qu'éprouve mon entourage à m'en procurer dès qu'ils en ont la chance!

Bref, le souper aurait été très agréable si Laura n'avait pas été aussi perturbée par les événements de son après-midi chez son père. On s'était dit qu'on se rencontrerait à 17 h à la maison. Laura est arrivée un peu après 18 h, les cheveux en broussaille, son chandail taché d'une garniture non identifiable. Elle a dû garder sa petite sœur pendant que son père et Xavier allaient à l'urgence pour lui faire faire des points de suture.

— C'était pas de ma faute, il a mis sa main sous mon couteau, a-t-elle répété à maintes reprises en secouant la tête. En plus, j'avais fait de SUPER gros efforts pour être HYPER mature. J'étais gentille, même si j'avais le goût de l'assommer. Pourquoi est-ce qu'il a fallu qu'il essaie de m'aider?

– Justement, il voulait être gentil, lui aussi…

– Pfff… il voulait juste m'humilier et me montrer qu'il était le plus fort.

J'ai passé une demi-heure à flatter le dos de Laura et à lui dire de ne pas s'en faire avec ça. Que ce n'était qu'un accident, blablabla… La visite de la police par sa faute, ça, j'ai presque ri. C'est du Laura tout craché, de faire des choses aussi impulsives. Appeler le 911 sans avoir vraiment vu l'ampleur de la blessure ! Chère Laura…

– Arrête de sourire ! J'ai failli avoir un constat d'infraction ! Quand le policier m'a dit ça, je me suis presque évanouie.

– Ben non… t'avais pas de mauvaises intentions. Il a dû te dire ça pour que tu ne recommences pas. Tu fais une tempête dans un verre d'eau.

Malgré toute l'histoire du « Laura-drame » (ça arrive si souvent que j'ai trouvé que ça valait la peine de donner un nom au phénomène que représente ma sœur quand elle est en crise de nerfs), elle avait entre les mains un sac cadeau, contenant un magnifique chandail. J'étais vraiment contente et émue !

Mes cheveux rouges coiffés à la « n'importe comment » (j'adore les faire sécher, tête à l'envers, sans trop faire attention!), nous marchons vers l'école. Comme chaque fois que nous faisons le chemin à pied, nous passons devant l'église Saint-Michel, sur l'avenue Saint-Charles. Soudain, une Mercedes blanche s'arrête à notre hauteur. Une vitre se baisse et la tête de Corentin apparaît. Il est à la place du passager aux côtés de Bruno.

— Montez!

Je consulte Laura du regard. Elle n'a pas remarqué que Xavier Masson est sur la banquette arrière. Corentin et lui semblent devenir très amis. Laura va capoter, je le sens...

Lorsque ma sœur s'exclame: «Ah non, pas toi!», il est déjà trop tard, j'ai refermé la portière sur nous. Elle devra faire le trajet collée à lui, puisqu'elle est assise au milieu. La voiture n'est pas aussi spacieuse que la limousine, malheureusement pour elle.

— Ça va, ta main?

Je pose cette question à Xavier malgré le coup de coude presque violent que je reçois dans les côtes de la part de Laura.

— J'ai eu cinq points, on a attendu quatre heures à l'urgence, mais ça va aller. Ils sont *cool*, tes cheveux, Marie-Douce.

— Ah! Merci! Mais… ta main, est-ce que ça fait mal?

— Marie-Douce! grince ma sœur.

— Quoi? Il est blessé, je peux bien demander s'il va mieux!

— Arrête de le dorloter. C'était de sa faute!

— Hé, St-Amour, ta « sœur » est pas en train de déterminer c'est la faute de qui, dit Xavier. Elle me demande comment je vais. Contrairement à toi… C'est pas très gentil, en passant.

— Hé! Tu t'en fiches que je te demande comment tu vas! lance-t-elle, maintenant insultée.

— Comment tu le sais? T'as pas essayé!

Ma sœur roule les yeux et hésite. Puis, au bout de plusieurs secondes, je l'entends demander d'une voix mal assurée:

— Comment va ta blessure?

Xavier rétorque en se moquant d'elle, Corentin s'exclame qu'ils agissent comme des enfants et moi, je regarde la scène en retrait, comme je le fais souvent lorsque les esprits s'échauffent.

— Tu vois, c'est un vrai tarla, grince Laura à mon intention.

— On arrive, tout le monde descend! déclare Bruno, bien avant d'atteindre l'endroit où il nous laisse en temps normal.

Il veut se débarrasser de nous, c'est clair, et je ferais pareil !

— Bonne journée, les filles ! nous lance Corentin en prenant les devants avec son ami.

Dès qu'ils ne sont plus à portée de voix, Laura saisit mon bras pour m'arrêter.

— Tu vois comme Xavier-le-tarla est désagréable ? Et qu'est-ce qui t'a pris de le flatter comme ça ? Je te pensais de mon côté !

— Mais je suis de ton côté, Laura ! Je le serai toujours, quoi qu'il arrive. Mais des fois, il faut savoir quand mettre de l'eau dans ton vin.

— Pffff… Xavier Masson a décidé qu'il m'aimait pas dès la première seconde. Il fait exprès de prendre toute la place pour que j'aie pas le goût d'aller chez mon père. C'est évident que c'est ça.

J'éclate de rire.

— Oh ! Ça me rappelle quelqu'un.

Laura roule les yeux et resserre mon avant-bras.

— Hé, toi et moi, c'était pas la même chose…

Oh oui, ça l'était, mais qui suis-je pour l'en convaincre ?

— Écoute, Laura… le gars a perdu son père à la guerre, sa mère ne semble pas s'en occuper…

— Elle ne peut pas s'en occuper, soupire Laura. Je n'ai jamais su le fond de l'histoire.

— Tu vois ? Il doit se sentir seul au monde. Il réagit comme il peut, c'est normal... Il doit être un peu perdu, dans tout ça. Mets-toi à sa place deux secondes. Ta vie est un paradis en comparaison.

— Alors, je dois être son bouc émissaire et le laisser me maltraiter ? Ça, c'est tout à fait ton genre, Marie-Douce, pas le mien...

— Alors, vous devriez prendre le temps de discuter, comme des gens... euh... matures ?

Laura éclate de rire et tapote le dessus de ma tête comme si elle félicitait un enfant qui vient de faire un bon coup.

— Ben oui, Marie-Douce... ben oui... quelle bonne idée ! Allons en classe avant que tu dises davantage de niaiseries.

# Chapitre 6

## Un papier bien intrigant

Je sais d'expérience que la meilleure façon de régler un problème, c'est de l'ignorer. N'est-ce pas exactement ce que fait la très mature Marie-Douce concernant l'amour de sa vie, le désormais célèbre Lucien Varnel-Smith ? Pourquoi n'appliquerais-je pas la même technique en ce qui concerne le vilain Xavier Masson ? C'est ce que je fais avec Samuel depuis une semaine et je dois dire que c'est un succès. À force de s'éviter mutuellement, on en est arrivés à une entente tacite : faisons-comme-si-rien-ne-s'était-passé-entre-nous-et-tout-est-facile.

*Même si mon cœur me fait mal à chacune de mes respirations.*

Ma mère dit toujours que, tôt ou tard, il faut braver la tempête. Je ne vois pas en quoi cela serait nécessaire. Ni avec Samuel ni avec Xavier-le-tarla-Masson. Concernant ce dernier, j'ai bien réfléchi et je ne vois qu'une seule solution : négocier un horaire de présence chez mon père. Je pourrais ainsi aller visiter Petite-Moi et mon père aux heures où Xavier irait à ses parties ou entraînements de hockey et quand il irait faire du skate. Quelle idée géniale ! Je l'applique dès cette semaine, il faudra seulement que je trouve l'occasion de parler au « tarla » (c'est son nouveau surnom dans ma tête, ça lui va bien, je trouve) pour nous organiser. En même temps, avec une entente claire, nous cesserions de nous disputer. Ouaip, c'est la meilleure solution. Moins nous nous verrons, mieux nous nous entendrons.

C'est déjà mardi, j'ai un cours de maths dans quelques minutes. Ça me fait penser que ma promesse d'aider Samuel pour ses devoirs est tombée à l'eau à la suite de notre séparation. Peut-être que je pourrais, mine de rien, lui offrir de l'aider malgré tout ? Une promesse, c'est une promesse, non ? Mais avais-je promis ou simplement suggéré mon aide ? Ma mémoire me fait défaut…

Arfff… C'est difficile. Je cherche par tous les moyens possibles de trouver une façon de lui parler sans qu'il puisse me rabrouer ou pire, m'ignorer. J'ai peur de m'adresser à un mur. Il ne regarde jamais dans ma direction. N'a-t-il pas UN PEU de peine ? Une petite goutte de regret, de frustration… n'importe quoi ?

J'ai même essayé de tirer les vers du nez à Corentin à son sujet, mais tout ce que j'ai obtenu, ce sont des « parle-lui donc toi-même », « non, il ne m'a rien dit à ton sujet » et « Laura, lâche-moi, tu me tapes sur les nerfs ».

J'en déduis que, de deux choses l'une : soit les garçons se serrent les coudes quant aux confidences qu'ils se font, soit ils n'en font carrément pas. Cette dernière hypothèse est, selon moi, la plus probable. J'imagine d'ici leur conversation, lorsqu'aucune oreille féminine ne les entend : « On va faire du skate ? Ouaip ! Beau saut ! Nice ! Merci ! Il est quelle heure, j'ai faim ! OK ! Bye ! »

Debout près de l'escalier, le local de maths à quelques pas, je rigole toute seule de mes propres pensées lorsqu'une main se pose sur mon épaule. Mon cœur s'arrête, évidemment ! J'ai toujours cet espoir futile que Samuel change soudainement son fusil d'épaule et se rende compte à quel point notre dispute n'avait rien à voir avec « nous ».

– St-Amour !

Cette voix, cette façon de m'appeler par mon nom de famille... ça ne peut être que Tarla-Xavier-Masson-l'orphelin-terrible. Je me retourne en soupirant, mes livres collés à la poitrine.

– Xavier, qu'est-ce que tu fais ici ? Tes cours sont dans la section de la salle G. Tu vas être en retard !

– Tiens tiens ! Tu t'en fais pour mon retard, mais pas pour ma blessure. C'est fou comme tes priorités sont bien ordonnées. Je ne venais pas te voir, j'ai quelque chose à donner à Sam, mais je ne le trouve pas. Tu peux me rendre ce service ou c'est trop te demander ?

– Sam… ?

– …muel Desjardins. Tu sais, le gars que tu vois dans ta soupe ?

*Hé ! Comment il sait ça, lui ?*

– Je ne le vois pas dans ma soupe ! Donne-moi ton truc, il est dans mon prochain cours.

De sa main valide, il me remet un papier plié en huit.

– C'est quoi ?

– Pas de tes affaires. Et surtout, tu l'ouvres pas, compris ? Je peux te faire confiance ?

Les doigts croisés derrière mon dos, je hoche la tête pour dire oui. *Bien sûr que je vais ouvrir ce papier ! Pfff !*

– Oui, pour qui tu me prends ?

Il me fait un sourire presque sympathique avant de pincer les lèvres en secouant sa tignasse brune.

– Pour une peste, voyons.

Quelque chose comme une lueur d'amabilité passe dans ses yeux bruns. C'est subtil et rapide, puisqu'il a tôt fait de détourner le regard. Malgré tout, je suis convaincue de n'avoir pas rêvé ! Y aurait-il un soupçon de gentillesse derrière cette façade désagréable ?

– Ouais… une peste, évidemment, dis-je en plaçant sa missive dans mon agenda.

– Tu lui donnes sans faute, hein! dit-il en reculant vers l'escalier pour descendre.

– Promis.

Sur la dernière marche se trouve Alexandrine Dumais qui me fait un air hébété. Comme une féline, elle évite Xavier (son prince charmant imaginaire, pfff!) et se faufile jusqu'à moi. Son expression est fascinante, on dirait qu'elle veut voir dans mon âme.

– C'était quoi, ça? demande-t-elle.

Les yeux verts d'Alex me transpercent avec intensité. Je ne peux pas prendre la fuite, ça c'est sûr.

– Quoi?

– Xavier Masson ici, à deux minutes de la cloche, dit-elle en chuchotant.

– Ah, lui! dis-je, comme si je ne savais pas de qui elle parlait. Il est juste venu me donner un message pour Samuel.

Elle hausse les sourcils, soudain fascinée. Quand Alex est trop intéressée par quelque chose, j'ai un peu peur, pour être honnête.

– Oh, je peux le faire pour toi, si tu veux…

J'ai envie de hurler: ES-TU FOLLE? Mais je me retiens.

— Euh… non… non… ça va aller.

Elle rigole doucement.

— Tu cherchais justement un prétexte pour parler à Samuel, hein?

— Ben… juste un peu…

Elle me fait une grande tape dans le dos.

— À d'autres, Laura. Je lis en toi, t'es tellement facile à deviner.

# Chapitre 7

## Zone sinistrée

Une pensée envahit mon esprit. Est-ce que Lucien aimerait mon nouveau look s'il me voyait ? Je secoue la tête pour évacuer le visage de Lucien de mon imagination. Il faut que j'arrête de penser à lui sans cesse. Jeter mon iPhone à l'eau était un coup de génie. Si je ne l'avais pas fait, j'aurais été rivée à mon petit écran pour suivre ses déboires, apercevoir chaque petite photo, le moindre article où son nom serait mentionné.

Son silence confirme mes doutes : il n'y a plus de place pour moi dans son univers. C'est le cours naturel des choses ; il mène la grande vie, désormais. Il doit rencontrer des gens fascinants, passer des heures en répétition, des journées entières à voyager d'une ville à l'autre dans tous les coins du globe. A-t-il même le temps de se souvenir qu'un jour pas si lointain, il a avoué à une certaine petite Québécoise timide qu'il était amoureux d'elle ?

Elle doit être loin de ses pensées, la p'tite Québécoise à qui il a demandé de devenir sa « blonde »… Soupir…

Hier, j'ai même entendu Constance raconter à Samantha que les Full Power côtoieraient le célèbre clan Kardaman parce qu'un des membres aurait une histoire romantique avec l'une des filles. Je ne sais pas trop quel est ce fameux clan, mais ça a semblé très impressionnant à voir la réaction de Cloé Bisaillon (une nouvelle amie de Constance qui semble en train de se former une nouvelle gang) qui s'est écriée qu'elle donnerait n'importe quoi pour être à leur place. « Ce sont les filles les plus belles et stylées qui existent sur la Terre entière ! » a-t-elle affirmé. « Oh ! Marie-Douce ! Es-tu sûre que tu n'es plus amie avec Lucien Varnel-Smith ? Ce serait trop *cool* d'avoir des autographes des Kardaman ! » m'a-t-elle demandé en sautillant sur place. Je lui ai gentiment expliqué que les chances qu'il refasse son apparition dans ma vie étaient plus basses que le néant exponentiel puissance mille. Lorsque Cloé a constaté que je lui étais inutile, elle a demandé à Constance si celle-ci avait vu Corentin. « LUI, il est ami avec Lucien Varnel-Smith pour de vrai ! » a-t-elle marmonné.

*C'est ça, moi, je suis une nobody.*

Lentement, mais sûrement, après être passée à la télé et avoir vu ma photo se propager comme une traînée de poudre dans les réseaux sociaux, je suis en chemin vers un retour dans l'invisibilité la plus totale. C'est ironique que j'en sois si soulagée. Moi qui avais tant admiré Laura pour sa popularité, on dirait que la vie m'a servi une sacrée leçon. J'ai non seulement atteint cette fameuse popularité, mais aussi une célébrité instantanée. Heureusement, ce fut éphémère.

Ce n'était pas ce que je croyais. Quand notre visage est partout et que les gens nous regardent différemment et veulent entrer dans notre bulle, ce n'est plus aussi amusant. En tout cas, ça ne l'est pas pour moi. Je me rends compte aujourd'hui que j'ai encore moins d'amis qu'avant. Mes camarades de classe ont eu des réactions diverses à tout ce qui m'arrivait. Soit ils se sont éloignés comme si j'avais la peste, soit ils se sont lancés sur ma personne parce que, subitement, j'étais devenue un phénomène fascinant. Je ne veux pas entretenir de relation avec des gens qui me parlent seulement pour ce que je représente.

Quand on expérimente des choses aussi intenses que ce que j'ai vécu dans les dernières semaines, on se sent emporté dans un tourbillon. J'avais perdu mes repères et j'avais du mal à reprendre mon souffle. Laura et Corentin me suffisent amplement. Je n'ai pas besoin de faire partie d'une gang, je préfère retourner à mes fées dans mon placard rempli de friandises et de coussins confortables.

Il y a Alexandrine Dumais (et son acolyte muette, Clémentine Bougie ; comme Laura et moi, l'une ne vient pas sans l'autre) qui n'entre pas dans la catégorie des gens que j'essaie d'éviter. Alex est *cool* et je ne la sens pas jalouse de tout ce qui m'arrive. Avec les autres, je suis sur mes gardes. Soit ils essaient de m'approcher pour profiter de mes contacts avec le monde des célébrités, soit la mesquinerie est à l'honneur et on me sert des petits commentaires secs et empreints de jalousie du genre : « Voilà la starlette ! » ou « On sait bien, tu passes à la télé ! » ou le meilleur « Ton chum est riche, tu peux me passer deux dollars ? »

Les envieuses ne sont pas rares (si elles savaient que je ne me trouve pas si chanceuse que ça, elles changeraient leur perception !). Par exemple, Constance n'a même pas fait de commentaire concernant mes cheveux rouges. Elle n'a pas pu ne pas voir ce qui saute au visage de tous ! Elle n'a que froncé les sourcils pour rapidement se concentrer sur autre chose. Samantha m'a fait un « Wow, dis donc, Marie-Douce, t'es tombée dans un pot de peinture ? J'imagine que tu regrettes ta grosse gaffe ? » Une chance que Laura n'était pas dans les parages, c'est clair qu'elle aurait sorti ses griffes.

Alexandrine a été gentille. Elle a touché mes cheveux avec un sourire émerveillé. « J'aimerais avoir le cran de faire la même chose. » Je n'ai pas eu le temps de répondre, la cloche sonnait pour le prochain cours. En tout cas, si jamais j'ai de la place pour une nouvelle vraie amie, Alexandrine sera peut-être une sérieuse candidate. Je sais qu'Alex est loin d'être parfaite : elle a même une plainte pour intimidation à son actif, grâce à Samantha Desjardins. Je ne sais pas exactement ce qui est arrivé, mais j'imagine qu'Alexandrine ne s'est pas laissé démonter par cette histoire. Et puis… Samantha peut être très énervante…

En réalité, mon plus grand problème, c'est Lucien. Je dois m'en guérir toute seule, une journée à la fois. L'histoire à propos de sa relation avec les Kardaman, c'est le genre d'anecdotes qui me rappelle à quel point je dois oublier notre histoire d'amour impossible. Je dois absolument ne jamais perdre de vue que, s'il souhaitait me contacter, il pourrait le faire sans difficulté. Sa mère, Jessica, est amie avec la mienne, elles se parlent sur Facebook souvent, Miranda me l'a dit. De toute façon, n'a-t-il pas dit au journaliste de *Vedette Monde* qu'il était célibataire ? Le message était limpide.

Avec ma nouvelle coiffure et ma liberté retrouvée (je parle ici de la « perte » de mon iPhone, qui était un boulet à ma cheville), je peux vraiment me concentrer sur ma nouvelle façon de penser : « *Être forte* est le nouveau *être jolie* ! »

Je dois être forte pour oublier Lucien et cesser d'avoir mal dans mon thorax juste à entendre son nom.

C'est donc une bonne chose que madame Herrera m'ait demandé de jouer le rôle principal à la place de Maude-Anne. J'avais justement besoin de quelque chose pour me changer les idées. Avoir un but, un défi à relever, c'est la meilleure façon de se sentir mieux. De plus, je vais faire ce que j'avais décidé et passer davantage de temps dans mon gymnase à parfaire ma chorégraphie de kara-ballet. Je vais aussi me concentrer sur mes devoirs, essayer d'être plus ouverte envers mes camarades et tâcher de garder le sourire.

J'ai commencé à parfaire certains mouvements, mêlant les mouvements de karaté que je connais par cœur à d'autres, plus fluides, découlant de mes leçons de ballet. J'en suis presque satisfaite. Les vidéos que Corentin et Laura ont prises m'ont prouvé que j'avais bien travaillé, mais je ne suis pas encore satisfaite de la chorégraphie. J'ai encore du pain sur la planche.

Je suis à Vaudreuil-sur-le-Lac, chez ma mère et Valentin. J'ai laissé entendre à Laura que j'avais besoin d'être seule, juste pour ce soir. Après la réaction qu'elle a eue à cette simple requête, je me suis sentie coupable. « Qu'est-ce que t'as, t'es fâchée après moi ? ! » m'a-t-elle demandé de mille façons différentes. Comment lui faire comprendre que, parfois, j'ai besoin de ma bulle ? Je me suis promis d'être forte et indépendante. Cela signifie qu'à certaines occasions, je vais devoir m'éloigner de tout le monde, même de ma précieuse sœur.

Je viens d'entrer dans le beau hall blanc des Cœur-de-Lion, j'ai encore mon sac d'école sur l'épaule. Un brin de culpabilité au cœur pour cette brève liberté volée (j'ai l'impression d'abandonner Laura !), j'ai appelé madame Lessard pour annuler mon cours. Je veux vraiment être tranquille ce soir pour me concentrer sur ma danse.

Mon gymnase est plongé dans le noir. J'allume les néons pour ensuite me diriger vers ma chaîne stéréo. J'ai des haut-parleurs sans fil. Voyons voir… Quelle honte ! Ça fait longtemps que je n'ai pas dansé seule sans madame Lessard. Comment mettais-je la musique déjà ? *Zut et triple zut.* Lucien avait pris soin de remplir mon iPhone de plein de musique de tous les styles avant son départ. « Tu pourras penser à moi en dansant ! » m'avait-il dit en souriant. Gros problème : j'ai jeté mon iPhone à l'eau comme une idiote. Je me saisis la tête à deux mains. Laura avait raison. C'était une gaffe. Pas une seule seconde je n'ai pensé à toute la musique que je noyais en même temps que ma communication avec Lucien.

Peut-être que Corentin me prêterait le sien ? Je sais qu'il a plein de musique, seulement, il écoute des trucs un peu trop brutaux pour moi. Du heavy métal et des trucs underground. Mais puisque je suis à court d'idées, alors aussi bien tenter le coup.

La chambre de Corentin est au même étage que la mienne. Il n'était pas avec moi pour le retour, il préférait revenir en skateboard (avec ses potes !) que de faire le chemin confortablement assis dans la Mercedes conduite par Bruno. Laura a décidé de marcher jusqu'au Vieux-Vaudreuil. Elle m'a fait un petit sourire un peu forcé. Elle a bien tenté de ne pas le montrer, mais je sens qu'elle me boude un peu. Zut, je suis une mauvaise sœur. Je viens de me souvenir qu'elle avait quelque chose à me raconter ! Nous n'avons pas eu le temps ce midi. C'est sûrement pour ça qu'elle est déçue ! Tant pis, je l'appellerai plus tard ce soir.

Je pousse la porte avec prudence. Je sais que Corentin n'y est pas. Il est bruyant quand il arrive quelque part, c'est impossible de ne pas le remarquer. La maison entière est étrangement tranquille. Miranda et Valentin sont en studio pour le projet de mon beau-père. Ce dernier n'a nullement besoin de la présence de ma mère, mais elle aime faire sa fraîche sur les plateaux de tournage et rencontrer les vedettes. Elle ne le dira jamais tout haut, mais je sais que c'est ça. Pauvre Valentin, il doit beaucoup aimer sa femme pour l'endurer... J'espère pour lui qu'il trouvera un moyen de lui faire comprendre qu'elle ne pourra pas toujours le suivre partout comme un chien de poche. Enfin, c'est leur vie, leur problème, j'ai assez des miens.

Une chambre de gars, malgré tous les détergents qui existent sur le marché, ça sent toujours un peu... le « schmu » nocif. Lui qui est si propre de sa personne (non, mais c'est vrai, il prend deux douches par jour!), je me demande comment il peut laisser sa chambre devenir une telle zone sinistrée. Je me pince le nez et je regarde autour. Mon cœur bat vite, je ne devrais pas être ici comme une voleuse. Seulement, à défaut de lui emprunter son iPhone, je sais qu'il a une espèce de radio comme on en avait dans le temps de mes parents. Du genre radio-CD, une boîte noire avec une antenne. Où est-ce que ça peut bien être? Sous cette pile de vêtements sales, peut-être? Beuurrk! C'est son linge d'éducation physique. Malgré tout le personnel que nous avons dans cette demeure, Valentin tient à ce que nous soyons responsables de la propreté de notre chambre et que nous fassions notre lessive nous-mêmes. Clairement, Corentin n'a pas compris la directive ou s'en fiche. Des bas roulés sur eux-mêmes s'amoncellent sur le plancher, des souliers sont éparpillés partout. Malgré tout ce désordre, je pense que j'ai trouvé la machine à musique! Heureusement, elle est sur une étagère, je n'aurai pas à toucher à quoi que ce soit de visqueux et puant pour m'en emparer.

Fière de ma pêche victorieuse, je sors rapidement. Après quelques pas dans le couloir, quelque chose me retient de m'éloigner: ce chaos, il me donne des frissons d'horreur. Juste à y penser, ça m'énerve au plus haut point.

— Ah! et puis zut!

Je dépose la radio rétro dans un coin du gymnase et je descends à la cuisine, où je trouve Gisèle qui chantonne en coupant des légumes.

— Allô, ma belle Marie-Douce!

— Allô, Gisèle! J'ai besoin d'un masque, de gants de caoutchouc, d'une chaudière, de guenilles et d'un panier de lessive. T'as tout ça quelque part? Ah! et aussi d'un produit biodégradable efficace pour éliminer les odeurs…

# Chapitre 8

## Et si c'était moi ?

Non, je ne boude pas. Je grince des dents un peu, je me parle à moi-même en marchant vers l'avenue Saint-Charles, mais à part ça, tout va bien. Marie-Douce a le droit de vouloir être seule. J'accepte qu'elle ait besoin de se retrancher dans son petit univers de temps à autre. Je trouve ça dur, c'est tout. Je pense qu'Hugo, son père, s'en fait à son sujet. Il m'a posé des questions sur les habitudes de Marie-Douce : « Prend-elle ses repas seule ? Parle-t-elle aux autres jeunes ? A-t-elle d'autres amis ? L'ai-je vue pleurer seule dans son coin ?... » J'ai dû avouer qu'avant qu'elle parte en France, je n'ai pas eu la chance de vraiment la connaître (à part pour lui causer plein de problèmes), alors comment comparer ? Elle m'a toujours semblé être un peu martienne...

Tout ça, ce n'est pas très *cool*. Mademoiselle veut être seule... Je comprends ça, mais j'ai une histoire à lui raconter, moi ! Ah ! et puis zut. C'est aussi bien que Marie-Douce se soit sauvée, tout compte fait. Si je lui raconte que j'ai passé un papier venant de Xavier Masson à Samuel Desjardins et que ce fut le gros événement de ma journée, elle va se demander ce qu'il y a de si extraordinaire puisque, pour elle, Samuel et moi, on sort encore ensemble !

Il faudra bien que je lui avoue la triste réalité : Samuel et moi, c'est du passé. Je pourrais lui dire tout simplement que j'ai dit une bêtise (chose très crédible) ou que Samuel a décidé de sortir avec une autre fille. De cette façon, je n'aurai pas à lui mentionner que c'est en la défendant que j'ai perdu mon amoureux.

Avant de donner le fameux papier plié en huit de Xavier à Samuel (qui s'est contenté de me dire un bref « merci » décevant), je l'ai ouvert. Je me sens un peu coupable, mais je n'ai jamais prétendu être parfaite. Il n'y avait rien de palpitant sur la note : « à 17 h au parc ». C'était tout. Ils vont *skater*, comme d'habitude.

Je ralentis mes pas, soudain prise d'une idée folle.

Et si c'était une façon détournée de Samuel de me passer un message à moi ? Facile, Samuel aurait demandé à Xavier de me donner ce papier en prétextant que c'est pour lui. Me connaissant, il savait que je l'ouvrirais (*duh !*) et qu'avec ma vive intelligence (sans fausse modestie), je devinerais que c'était là un message qui m'était destiné.

Je consulte mon iPod. Il est 16 h 43. Je l'avoue, j'ai fait exprès pour perdre mon temps avant de sortir de l'école. Mon ventre crie famine, mais à la seule idée de manger, j'ai la nausée. Je suis beaucoup trop énervée, mon estomac est contracté.

J'arrive justement devant le fameux point de rendez-vous. Le parc de la Paix, c'est au bord de l'eau, en face de l'école. Je l'évite toujours soigneusement parce que les gars s'y tiennent et ça m'intimide beaucoup. J'ai toujours l'impression qu'ils vont se mettre à crier des âneries ou pire, siffler. Et c'est en plein le genre de Xavier.

Que faire ?

Si j'y vais et que le papier n'était en réalité qu'un simple échange entre les deux garçons, j'aurai l'air d'une folle, pire, d'une curieuse têteuse ! Ce sera la vraie fin de tout espoir de renouer avec Samuel, et Xavier pourra rire de moi à vie. Et il aura raison.

Si je n'y vais pas, par contre, je ne dormirai pas ce soir. Je vais passer des semaines à me ronger les ongles, à me demander si ne pas y aller était une grave erreur, si Samuel était déçu et que je lui avais signifié mon désintérêt par mon absence…

Arfff… j'ai besoin de ma sœur.

Pourquoi fallait-il qu'elle choisisse ce soir pour vouloir « être seule » ? J'aurais dû tout lui avouer au sujet de ma relation gâchée.

Corentin doit être avec les gars au parc. Raison de plus pour ne pas y aller. Il me regarderait comme une bibitte sous un microscope. Sans parler du tarla qui est toujours dans mes jambes.

Je dois avoir l'air bizarre, figée ainsi sur le trottoir. Je regarde dans tous les sens, comme si la réponse était dans l'air autour de moi. Je manque d'oxygène. Où est ma pompe? Mes doigts fouillent le fond de mon sac d'école, j'en ai toujours une d'urgence quelque part dans une pochette. La panique monte jusqu'à ce que je touche un objet rond en plastique. Merci, mon Dieu, la voilà!

Ma pompe dans la paume, je m'approche d'un buisson, comme dans les films, pour me cacher et observer ce qui se passe dans le parc. Il ne me manque qu'un imperméable beige et des lunettes fumées noires pour avoir l'air de la caricature parfaite de l'espion. Une fausse moustache avec ça? Dieu merci, je ne suis toujours pas repérée. Voilà des garçons... c'est une chance que les feuilles ne soient pas encore tombées des arbres malgré l'automne qui avance. Je suis penchée, les deux mains sur les branches pour les écarter de mon champ de vision.

Samuel est assis sur un banc, avec sa planche et son sac d'école. Il semble attendre quelqu'un. Est-ce que c'est *moi* qu'il attend? Mon cœur fait des bonds. Il regarde sa montre et fouille dans son sac duquel il sort un livre. Samuel lit au parc à skate ? C'est bizarre…

Après quelques minutes d'observation, je dois me ressaisir, faire quelque chose, n'importe quoi ! Ravalant ma salive, je me prépare à l'impensable : aller voir Samuel pendant qu'il est seul !

Je glisse ma pompe dans la poche de mon pantalon et me mets en marche vers le parc. On dirait que mes pieds sont engourdis. Je tiens les bretelles de mon sac à dos si fort que j'en ai mal aux jointures. Samuel relève la tête lorsqu'il entend mes pas.

— Laura… Allô…

Il me fait un sourire un peu sec.

Oui, sec. Il n'est pas content de me voir.

*Je veux mourir.*

Je dois me forcer pour ouvrir la bouche et baragouiner quelque chose de compréhensible.

— Salut… Qu'est-ce que tu fais ?

Il dépose son livre ouvert à plat à côté de lui sur le banc et se frotte les mains. Est-il aussi nerveux que moi ?

— J'attends Xavier.

— Ouais, il m'attendait, MOI ! Pas toi ! lance la voix de Xavier derrière moi.

Je ferme les yeux, honteuse, mortifiée et atrocement gênée.

– Ah… euh… OK. Bye.

Samuel se lève et semble sur le point de dire quelque chose, mais Xavier me contourne et se place devant lui, les deux bras croisés, sa main bandée bien en évidence, me rappelant ma très grande stupidité.

– Tu ne pouvais pas te retenir de lire le papier, hein ? C'est pas beau d'ouvrir le courrier des autres ! Tssss !

Je suis prise la main dans le sac.

Que faire ?

Mentir, évidemment !

– J'ai rien ouvert. J'ai juste… euh…

Xavier rit tellement qu'il est plié en deux et se tape les genoux. Je dois être rouge comme une tomate. Mes joues sont en feu, des gouttes de sueur coulent sur ma nuque.

– T'es tellement conne, j'en reviens pas ! s'exclame Xavier. Et c'est quoi ces faux cheveux-là ? Moi, les filles qui se mettent des trucs artificiels pour essayer d'être plus belles, ça me pue au nez !

Mon regard croise celui de Samuel qui ouvre la bouche pour parler, mais je me retourne et je pars en courant sous les coups saccadés de mon sac qui heurte mon dos à chacun de mes pas.

Je ne regarde pas derrière moi. Dans mon petit for intérieur, j'ai espoir que Samuel m'ait suivie pour me rassurer et me dire qu'il était content de me voir et qu'à son avis, Xavier est un gros con. Malheureusement, plus je m'éloigne du parc, plus je me sais seule à courir comme une folle. J'entends la voix des gars, surtout celle de Samuel qui parle fort à Xavier, mais personne ne crie mon nom pour me retenir. Je m'arrête pour reprendre mon souffle devant l'église. C'est à mon tour d'avoir les mains sur les genoux, sauf que moi, je suis loin de rire, bien au contraire. Je tâte mes poches pour trouver ma pompe.

# Chapitre 9

## Espionnage
involontaire

Je suis dans la chambre de Corentin, munie des gants de caoutchouc que Gisèle m'a dénichés dans le fond d'un tiroir de la cuisine. Voilà que j'ai ramassé tous les vêtements puants, épousseté ses meubles, fait son lit, passé l'aspirateur. Je vais m'arrêter là. Je ne veux pas fouiller… Déjà que j'ai l'impression d'avoir fait une grosse gaffe en nettoyant sa chambre. Mais je n'ai pas pu me retenir…

Un bruit d'oiseau attire mon attention. Un petit sifflement qui vient de son ordinateur. L'écran est pourtant noir, je le croyais éteint. On dirait bien que ce n'est pas le cas. Je jette un coup d'œil au corridor, pour voir si mon ami est en vue. À part Gisèle qui chantonne au rez-de-chaussée, rien ne semble bouger dans la maison.

Curieuse, j'agite la souris avant de m'asseoir dans le fauteuil à roulettes, les yeux rivés sur l'écran de l'ordinateur portable qui s'allume comme par enchantement. Il n'y a pas de mot de passe ? Tant pis… ou tant mieux… Je reconnais le logo de Skype. Par réflexe (ou curiosité), je clique.

**Azrael66611**
Tintin ! T'es là ? J'ai pas beaucoup de temps !

À ce surnom, mon cœur se serre. Je devrais fermer immédiatement l'ordinateur et sortir de la pièce au plus vite. Lire ceci, c'est pire que d'écouter aux portes ! Irais-je jusqu'à lui répondre en me faisant passer pour Corentin ?

Non. Corentin s'en rendrait compte. Je vais seulement rester un peu et voir si Lucien continue d'écrire…

Plusieurs secondes passent sans un seul mot de Lucien. J'attends, figée comme une statue. Je peux sentir mon pouls sur mes tempes tellement mon cœur s'emballe. Puis, au bout d'une autre minute qui me semble un siècle, la messagerie s'anime.

**Azrael66611**
Écoute, je ne pourrai pas te contacter avant quelques jours. On est à Dublin, ensuite j'aurai quelques jours de repos.

Un autre silence…

Je panique…

Silence…

Une sorte de pression semble vouloir écraser ma tête. Ça doit être parce que tout mon sang vient de monter à mon cerveau. Mes mains tremblent, j'ai la bouche sèche.

> **Azrael66611**
> Je prépare le truc dont on a parlé, ce sera super... Il me manque encore quelques images.

Un autre silence, sûrement le dernier. Il ne m'a pas mentionnée. Ça confirme mes pires craintes. Il m'a oubliée… C'est normal, avec sa grande vie de *jet setter*. Pourquoi penserait-il à la pauvre moi ?

Puis, une petite voix dans mon for intérieur se lève avec une question bizarre : que voulait-il dire par « le truc » ?

Je secoue la tête pour me ressaisir. Il ne faut pas que je m'invente des histoires. J'ai déjà assez de mal à l'oublier sans me faire des scénarios avec des bouts de phrases qui ne veulent absolument rien dire.

Je suis tout près de la porte lorsque l'écran derrière moi s'anime à nouveau. J'hésite avant de me rapprocher. J'ai déjà suffisamment abusé de l'intimité de Corentin. Je n'ai pas besoin de connaître la fin des messages de Lucien. Ou peut-être seulement cette dernière phrase ?

**Azrael66611**

Je vais devoir déjouer mon père. Il est devenu fou.
Je ne peux plus sortir seul, il me surveille comme
un aigle, sans parler des *fans*... Il y a de la lumière
au bout du tunnel : ma mère va m'aider. Elle seule
peut l'amadouer.

Une chair de poule soudaine recouvre mes bras.
Les mots de Lucien sont vagues, mais je ne peux
pas m'empêcher de lire entre les lignes. Est-il donc
prisonnier de sa nouvelle vie ? Son père abuse-t-il
de son autorité ? Lucien est-il malheureux ?

Il n'a toujours pas parlé de moi ni posé de
questions à mon sujet. Bien sûr, il a d'autres soucis
que de penser à sa petite amie québécoise hyper
remplaçable parmi les milliers de filles à ses
trousses.

Après une très longue inspiration pour reprendre
mes esprits, je quitte la chambre de Corentin,
honteuse d'avoir été curieuse et plus triste que
jamais.

# Chapitre 10

## Mystérieuse
## Clémentine

Pourtant, tout le monde a aimé mes nouveaux cheveux à l'école. J'étais heureuse de ma superbe tête d'actrice. Et voilà qu'en un seul instant, à cause des mots méchants de Xavier, je n'ai qu'une envie : les arracher pour les jeter ici, sur le trottoir. Est-ce que Xavier a raison ? Ai-je l'air ridicule avec mes rallonges ? Est-ce que mes amis m'ont menti pour me faire plaisir ?

Je pense que je vais vomir.

Ou mourir.

Ou les deux : vomir en mourant ou mourir en vomissant.

Un raclement de gorge derrière moi m'immobilise. J'inspire dans ma pompe pour l'asthme et je me retourne.

C'est Clémentine Bougie, la fille muette (ou du moins, celle qui ne parle pas depuis des mois). Elle rejette une de ses longues mèches noires derrière son épaule sans cesser de me scruter. Ça doit faire un an que je la vois tous les jours sans jamais entendre le timbre de sa voix. Comment suis-je censée converser avec elle ? Je ne connais pas le langage des signes ! Ah non, c'est vrai, elle n'est pas sourde, juste… muette, et ce volontairement, donc pas pour de vrai. Cette fille est la plus têtue de l'univers. Je ne peux même pas commencer à imaginer me taire plus qu'une heure, et encore…

– Clémentine, ça va?

Je ris en moi-même. Comme si elle allait me répondre! Si Alexandrine n'a pas réussi à la faire parler, alors qui suis-je pour réussir là où sa meilleure amie a échoué? Je ne suis pas vraiment intime avec cette fille mystérieuse. Clémentine fait partie de mon décor par sa présence silencieuse, c'est tout. Elle connaît ma vie, par contre. À force de la voir dans les parages, elle est devenue comme une ombre tranquille. J'en suis même venue à oublier sa présence lorsque je confie les détails de ma vie à Alex.

Elle me fixe de ses yeux bleus, presque translucides. Depuis la fin de notre sixième année que son regard est triste et vide, qu'elle ne parle pas, même à Alexandrine qui était pourtant toujours à ses côtés. J'ai honte de dire qu'avec mes propres problèmes, je n'ai jamais vraiment porté attention à cette fille muette. Comme si c'était trop compliqué de lui demander si elle allait bien.

Elle s'humecte les lèvres et les entrouvre. Oh, mon Dieu! Va-t-elle parler?

Non.

Elle expire une bouffée d'air.

– Tu veux qu'on marche un peu ?

Elle hoche la tête avec un petit sourire. Je sens que le chemin sera pénible… De quoi vais-je lui parler ? Je ne sais même pas si ma vie l'intéresse. Et comme lui poser des questions sur la sienne ne sert à rien puisqu'elle ne me répondra pas… c'est perdu d'avance.

Mais Clémentine me surprend en pointant le parc.

– Tu veux aller au parc ?

Elle fait non de la tête.

– Tu veux que moi, j'aille au parc ?

Encore non.

– Tu veux me montrer un oiseau rose avec des hélices ? Quoi ?

Elle tape du pied sur le trottoir. Quoi, c'est elle qui est exaspérée ?

– C'est au sujet de Xavier Masson ? D'Alexandrine ? Je sais qu'elle l'aime, mais je ne peux rien faire pour la décourager. C'est vrai qu'il est niaiseux, mais que veux-tu… il paraît que l'amour, c'est plus fort que la police !

Elle secoue encore la tête, cette fois, les bras croisés sur la poitrine. Elle roule les yeux au ciel !

– Ah, laisse faire ! Je ne comprends rien de ce que tu essaies de me dire.

À mon tour exaspérée par cette scène ridicule, je marche sans l'attendre en direction de chez ma mère.

– Laura, attends !

*Quoi ?*

Cette voix familière semble sortir d'un million d'années-lumière. Je m'arrête net. Je pense que mon cœur vient de sauter un battement. Lentement, je me retourne avec la crainte que nous ne soyons plus seules et que les mots ne soient pas venus d'elle, mais d'une nouvelle arrivante que je n'aurais pas entendue venir.

Il n'y a que nous. Clémentine me regarde, la paume sur sa bouche, les yeux grands comme des 25¢. Elle semble aussi surprise que moi. Non, traumatisée serait plus juste.

– Clémentine ! Tu as parlé !

Elle secoue la tête en reculant. Elle a beau faire semblant du contraire, je ne la laisserai certainement pas m'échapper ! Clémentine a PARLÉ ! À MOI ! Je le prends comme le plus beau des compliments et maintenant, j'ai une mission : la faire parler encore et encore et encore !

– Oui, t'as parlé ! Va-t'en pas !

Mais elle marche en direction opposée, elle veut même traverser la rue sans regarder s'il y a des voitures ! L'avenue Saint-Charles est très passante à cette heure, et les gens roulent vite. Je saisis son bras juste à temps, une Mazda beige allait la renverser !

Elle se débat, mais Clémentine est une petite chose toute fragile. Je ne suis pas entraînée comme Marie-Douce, mais je suis forte.

— Dis-moi de te lâcher avec des mots et je vais le faire.

Elle arrête de bouger, mais refuse de me regarder, encore plus de me parler.

— Si je te promets de ne dire à personne que tu parles, vas-tu te confier à moi ? Je suis super bonne pour garder les secrets. Peu importent tes raisons, ou ce que tu veux me dire. Promis.

Elle soupire en regardant ma main toujours solidement enfoncée dans la chair de son bras. Elle ferme les yeux avant de les relever vers les miens. Ses iris bleus sont éblouissants à travers ses larmes et ses paupières rougies.

— OK. Ce sera notre secret, dit-elle. Tu peux me lâcher.

Quelques minutes plus tard, nous marchons côte à côte en silence. Je n'ose pas la brusquer. Ce moment doit être important dans sa vie et je me demande si sa voix est « utilisable » après tant de temps sans faire vibrer ses cordes vocales. J'ai tant de questions à lui poser! Pourquoi faire ce vœu de silence, comment a-t-elle pu se taire aussi longtemps sans devenir folle, pourquoi pointait-elle le parc et qu'essayait-elle de me dire qui soit assez important pour parler?

Le fait qu'elle parle supplante tous les autres sujets de conversation. Je lui demanderai plus tard ce qu'elle pointait au parc.

— Je suis contente d'entendre ta voix, dis-je, pour casser la glace.

— Alors, t'avais remarqué avant aujourd'hui que je ne parlais pas…

Je cligne les yeux plusieurs fois, incertaine de comprendre sa remarque.

— Ben oui, j'ai remarqué, voyons!

— Ah bon.

Elle regarde le sol. Nous n'avons jamais été amies, du moins pas depuis la quatrième année et encore… tout ce que nous faisions ensemble à l'école primaire, c'était jouer au ballon poire.

— Est-ce que tu… euh… je veux dire… Est-ce que c'est la première fois que tu parles depuis des mois? Au fait, ça fait combien de temps?

— Un an, dit-elle.

– QUOI ? Un an ? Tu me niaises ? Mais pourquoi ? Est-ce que ça fait bizarre de parler après si longtemps ? Tes cordes vocales doivent être rouillées !

Elle secoue la tête.

– Je chantais quand j'étais seule…

– Pourquoi est-ce que t'as jamais parlé à Alexandrine ? Elle t'a pas lâchée. Elle t'aime beaucoup.

Clémentine hoche doucement la tête.

– Je l'aime beaucoup aussi. Tantôt, j'ai parlé par accident. Pour être honnête, merci de m'avoir forcée à continuer. Ça fait du bien…

– J'imagine !

– J'ai toujours voulu qu'on soit amies, toi et moi, me confie-t-elle.

– Mais tu m'as jamais parlé, même si j'étais toujours à côté de toi…

Clémentine secoue la tête tristement.

– C'était rien contre toi. J'aimais ta présence.

J'arrête de marcher, les mains sur les hanches. Clémentine ralentit aussi jusqu'à s'immobiliser et me lancer un regard interrogateur.

– Je ne comprends pas pourquoi tu es restée muette aussi longtemps…

Elle hausse les épaules.

— Je voulais voir combien de temps ça prendrait avant que mes parents remarquent mon silence.

— Mais t'aurais pu nous parler, à nous?

— Non… j'étais bien décidée à ne pas flancher. J'ai une tête de mule, ajoute-t-elle avec un petit sourire.

— C'est parce que tu es si forte qu'Alexandrine t'aime autant, j'en suis persuadée. Mais qu'est-ce qui s'est passé, Clémentine? Si c'est pas trop indiscret…

— C'est une longue histoire plate…

— J'ai tout mon temps.

Clémentine soupire.

— Tu l'auras voulu! C'était pendant un souper de famille. Nous étions tous à table, mes cinq petits frères, mes parents, mes grands-parents, mes oncles et mes tantes. J'avais une bonne nouvelle à annoncer, j'avais eu 100% dans un test de mathématiques. C'est ma bête noire, les chiffres, j'y comprends rien… Durant tout le repas et la soirée, j'ai essayé de le dire. « J'ai eu 100%! Yééé! » J'avais travaillé tellement fort pour cet examen. Tu sais, quand t'es l'aînée de six enfants, dont des triplés, c'est dur de faire ta place. En plus, mes parents se disputent souvent… ça n'aide pas. Bref, personne, pas même mes tantes, ne m'a écoutée. J'ai alors décidé de me taire pour la soirée. Le lendemain, j'ai voulu parler à ma mère, mais elle m'a stoppée de sa main. Mon père, lui, était déjà parti en claquant la porte. Il claque toujours la porte, c'est rien de nouveau. Le soir, j'ai tenté encore… sans succès. Mes frères sont encore tout-petits et requièrent beaucoup d'attention. Il ne reste plus rien pour moi…

Elle rit avec dépit. Mon cœur se serre à entendre son histoire. Pauvre Clémentine… je ne me plaindrai plus jamais de ma vie !

– Quand, le surlendemain, ma mère m'a carrément dit de me taire et de cesser de l'embêter avec mes histoires sans importance, j'ai obéi. J'ai tout bonnement cessé de parler.

Elle relève la tête pour me regarder. J'ai les paupières remplies de larmes pour elle. Comment peut-elle avoir les yeux secs ?

– Pleure pas, Laura, ça ne vaut pas la peine. Ça fait un an et mes parents n'ont pas encore réagi. Je crois que ça leur rend service, que je me taise. Les profs n'ont même pas remarqué. Je n'ai jamais été une enfant turbulente, alors…

– Mais nous, on a remarqué ! Et j'ai pas réagi ! Je suis tellement désolée, Clémentine !

– Non, vous avez été là, avec moi, sans me rejeter. Alexandrine s'est occupée de moi. Elle n'a jamais cessé de me parler, même si je ne répondais pas. Elle comprenait. Et toi, tu m'as toujours souri.

Je sourcille. Je ne me suis jamais rendu compte d'avoir souri à Clémentine. Tant mieux si au moins j'ai fait ça…

– C'est pas assez…

– Ça me suffisait. J'avais Alex et j'avais mes rêves… J'ai quelques ambitions dans la vie, t'sais. Maintenant, je pense aller vivre chez ma tante.

– Tu vas quitter la Cité-des-Jeunes ?

Ma voix sonne comme une sirène d'alerte. Je ne veux pas que Clémentine s'en aille ! Elle vient de me charmer en même pas trois minutes.

– Elle habite à Pincourt… C'est le même territoire que l'école, t'en fais pas. Mais merci de t'inquiéter pour moi, c'est gentil.

Nous sommes devant la rue qui mène chez moi, près du dépanneur et de la colline où Corentin et moi passions notre temps libre l'an dernier. Je devrais traverser et la laisser aller chez elle, mais j'hésite. J'ai envie de discuter encore avec Clémentine. Ça me change les idées et m'empêche de penser à Samuel.

– J'habite ici… dis-je.

Clémentine me salue de la main.

– Bonne soirée, Laura…

Sans attendre, elle continue son chemin. Je sais qu'elle n'habite pas tout près, elle a encore plusieurs kilomètres à marcher. D'ailleurs, pourquoi n'a-t-elle pas pris l'autobus avec Alexandrine, comme d'habitude ?

– Attends, je vais marcher avec toi jusqu'au pont, je dois aller quelque part.

Direction Vaudreuil-sur-le-Lac. Tant pis si ma sœur voulait être seule ce soir…

# Chapitre 11

## *Et pouf! la bulle de solitude!*

Pourquoi est-ce que j'ai voulu être seule? Ce n'est pas un bon moment du tout! Et je n'ai même pas d'iPhone pour texter. Quelle nouille je fais. J'ai téléphoné chez papa pour parler à Laura, mais il n'y a aucune réponse. Soit ma sœur boude pour de vrai, soit elle n'est pas rentrée.

J'ai plein de devoirs à faire. J'ai un texte à écrire en français, un travail d'univers social et un truc de maths. Plus je prends du retard, plus je stresse. Si ce n'était pas de toutes ces répétitions du midi pour le spectacle de danse, je pourrais gagner du temps après avoir mangé mon lunch. Surtout mes exercices de maths… beurk… Le seul devoir que j'ai fait avec plaisir, c'est ce drapeau du Québec en arts plastiques. Ma fleur de lys est rouge, couleur du sang et de la vie. Le fond est noir (protection) et blanc (pureté).

À contrecœur, j'ouvre mon sac pour en étaler le contenu sur la table de travail. En gestes calculés, je place les cahiers et les feuilles sur la surface lisse. Je regarde les pages avec distraction, je feuillette… Il n'y a rien à faire, je suis incapable de lire un seul mot. Je suis trop à l'affût des bruits dans la maison. Gisèle a cessé de chanter. Elle est à la veille d'annoncer que le souper est prêt. Ce soir, il n'y a que moi. Bruno n'a pas encore ramené

Miranda et Valentin, ils vont sûrement rester tard à Montréal. Ce genre de rencontre, ça signifie aussi souvent un souper au restaurant. Surtout s'ils signent de gros contrats. Corentin n'est pas encore rentré, il doit être au parc avec Samuel et Xavier. Sûrement Maurice, aussi. Il mangera plus tard, c'est une nouvelle habitude.

— Allô !

— AAAAAAAH !

Une chance que je ne tenais rien de fragile entre mes mains, j'ai eu si peur que j'aurais fait un sérieux dégât !

— Laura ! Qu'est-ce que tu fais là ?

Je n'ai jamais été aussi contente de voir ma sœur !

— Désolée de te déranger dans ta bulle de solitude… j'ai pas pu me séparer de toi. T'es fâchée ?

Même si je l'étais, avec la face mignonne qu'elle me fait, comment pourrais-je le rester ?

— Non, au contraire. Je viens d'appeler à la maison et personne ne répondait. Je capotais un peu là…

— Moi aussi, je capote ! Je fabule, je me parle à moi-même, je *flippe* ben raide ! s'exclame Laura.

— Ah oui ? Je suis sûre que je *flippe* encore plus que toi !

– Impossible !

– Oui, possible !

Nous nous taisons en même temps en pinçant les lèvres.

– Vas-y, m'offre Laura.

– Non, toi, vas-y…

– OK !

J'éclate de rire. Ma sœur est si impulsive que de me laisser parler avant elle l'aurait mise au supplice. Aussi bien la laisser se vider le cœur pour ensuite avoir son entière attention.

– Je t'écoute… mais attends, laisse-moi m'installer.

Je place mes oreillers contre ma tête de lit pour être tout à mon aise. Laura, de son côté, se lance sur son lit à plat ventre.

– Bon, t'es prête pour la nouvelle du siècle ?

– Oui !

Laura me raconte qu'elle vient de jaser avec Clémentine Bougie. Elle parle enfin ! Je suis heureuse de cette nouvelle. Elle me relate la triste histoire de notre camarade muette depuis un an. Ça explique bien des choses. Son silence, son air morose…

– Mais c'est un secret ! Je lui ai promis que je ne dirais rien à personne ! m'avertit Laura.

– Alors, pourquoi me le dis-tu à moi ?

Ma sœur roule les yeux.

– Toi, tu ne comptes pas. De toute façon, comme tu ne parles à personne, je doute que tu sois tentée de trahir mon secret. Et on est censées tout se dire, alors…

Elle marque un point. *Sauf qu'elle omet de me dire qu'elle ne sort plus avec Samuel !*

– Et maintenant, elle va faire quoi au sujet de ses parents ?

Laura hausse les épaules.

– Je ne sais pas trop… Elle va essayer d'aller vivre chez sa tante. Elle semble avoir abandonné l'idée d'avoir des parents comme les nôtres.

– On ne les apprécie pas assez…

Un autre silence s'installe. Je dévisage ma sœur et j'attends. Me parlera-t-elle enfin de Samuel ? Mal à l'aise sous mon regard intense, Laura roule les yeux et soupire.

– OK, je t'ai pas tout dit !

– J'attends…

– Beeen euh… Samuel et moi, c'est fini… Il m'a *flushée*. Il fallait bien que ça arrive un jour. Je suis tellement nulle avec les gars.

Pauvre Laura, juste à prononcer ces mots, ses oreilles sont devenues rouges.

– Je m'en doutais… pas que tu sois nulle, mais que Samuel et toi, c'était terminé. Pourquoi tu ne m'as rien dit ?

– Je ne sais pas trop…

– Laura, c'est à moi, ta sœur pour toujours et à jamais, que tu parles. Tu peux… non, tu DOIS tout me dire. Qu'est-ce qui s'est passé ?

Après beaucoup d'hésitation, Laura me raconte une scène où Constance jouait à la victime après m'avoir révélé ce fameux article de malheur au sujet de Lucien qui affirmait ne pas avoir de blonde. Elle me dit qu'Alexandrine s'en est mêlée, que la situation a dégénéré et que Samuel s'est finalement mis du côté de Constance qui pleurait dans ses bras.

– Ah ! T'as donc perdu ton amoureux en prenant ma défense, c'est ça ?

– Non ! J'ai perdu Samuel parce que Constance a manipulé la situation !

– Si c'était pour ça, tu ne m'aurais rien caché.

Laura se tait. Elle sait que j'ai raison.

Donc, puisque Laura a perdu Samuel par ma faute, je dois retourner lui faire une petite visite de courtoisie pour régler la situation ! Ce n'est pas comme si c'était la première fois…

# Chapitre 12

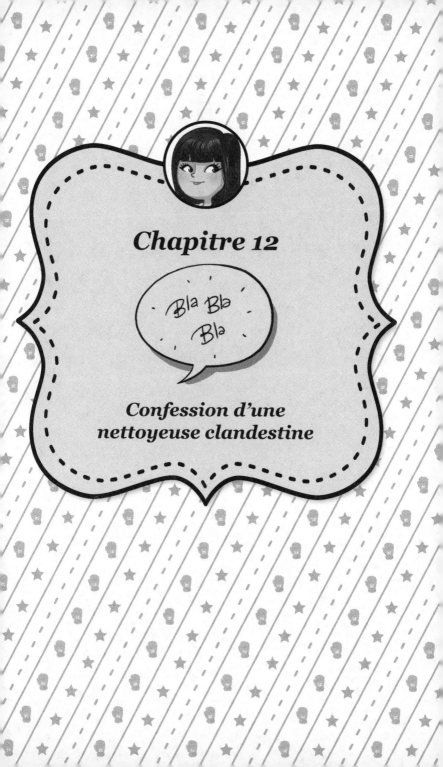

Bla Bla
Bla

## Confession d'une
## nettoyeuse clandestine

Voilà, le chat est sorti du sac et je me sens mille fois mieux. Marie-Douce n'a pas réagi comme je l'avais prévu. Je m'attendais à ce qu'elle se sente coupable, mais elle reste zen. Je ne lui ai pas raconté ma totale humiliation devant Samuel en sortant de l'école. Je ne lui ai pas dit à quel point Xavier Masson a été méchant avec moi. Je préfère garder cette histoire dans un tiroir verrouillé de ma mémoire. Je veux aussi oublier ce qu'il a dit au sujet de mes cheveux. Je répète cette phrase en boucle : *il a juste dit ça pour être méchant… il a juste dit ça pour être méchant.*

Pas question que je me sépare de mes super cheveux à cause du tarla !

Tortillant une précieuse mèche sur mon index en marchant et en discutant avec Clémentine, j'ai fini par lui demander pourquoi elle avait pointé le parc avec autant d'énergie. Elle voulait m'indiquer que Corentin était là et que les gars se bagarraient.

– Qui se battait avec qui ?  ai-je demandé.

– Les trois ! m'a-t-elle dit. C'était une mêlée de trois ados endiablés.

À cela, j'ai haussé les sourcils.

– Endiablés ? Tu ne parles pas pendant un an et tu me sors des mots comme « endiablés » ? Wow !

Clémentine a souri. Il m'a semblé que son dernier vrai sourire datait d'une éternité.

— T'aurais préféré « déchaînés » ou « fougueux » ou « impétueux » ? a-t-elle rétorqué.

J'ai éclaté de rire en levant les mains.

— Ça va ! Ça va ! Arrête avant que je ne comprenne plus un seul mot qui sort de ta bouche !

— Qu'est-ce que tu crois que j'ai fait durant toute cette année sans parler ? J'avais plein de temps pour lire. Je suis passée à travers plusieurs classiques comme Alexandre Dumas, Honoré de Balzac, Jean-Paul Sartre, Victor Hugo… m'a-t-elle énuméré.

— Ouch ! Tais-toi, insolente ! me suis-je exclamée pour la taquiner. Cette liste est trop intimidante !

Nous avons bien ri, puis Clémentine est revenue sur le sujet de la bagarre.

— Donc, quand j'ai vu qu'ils se tiraillaient, j'ai voulu t'avertir. Pour rien, en fin de compte, ils sont assez grands pour savoir ce qu'ils font, m'a-t-elle confié.

— Bah, les gars, ça se chamaille pour le *fun*, ai-je affirmé.

Non, mais c'est vrai. Ils se prennent pour King Kong. Et Corentin dit souvent qu'il en a assez d'être avec des filles. Ça doit être sa nouvelle hausse de testostérone qui le pousse à se chamailler. De plus, il m'a déjà raconté qu'avant d'arriver au Québec, il était bagarreur. C'est d'ailleurs l'une des raisons pour lesquelles Valentin Cœur-de-Lion a immigré ici. Mais comme le dit le dicton : chassez le naturel et il reviendra au galop. Corentin n'est que redevenu lui-même depuis qu'il a des amis « gars ». S'il revient à la maison avec un œil au beurre noir, ce sera bien fait pour lui.

Cette histoire est bien intrigante, par contre. Pourquoi les gars se battaient-ils ? Je ne le saurai sûrement jamais. Pour l'instant, je dois me concentrer sur ma sœur. C'est à son tour de vider son sac. J'espère qu'elle a de bonnes nouvelles.

— Ton tour, dis-je, toujours couchée à plat ventre sur mon lit.

— Euh…

Marie-Douce regarde ailleurs. Elle semble gênée, tout à coup.

— Euh, quoi ? As-tu fait quelque chose de honteux ? Si c'est le cas, allez, raconte-moi ça tout de suite ! Tu vas enfin me faire sentir normale de gaffer aussi souvent !

— Ben… c'est-à-dire que… J'ai été dans la chambre de Corentin…

— Ah oui ? Mais de quoi tu t'inquiètes ? Si t'as rien bougé, il en saura jamais rien.

Ma sœur se racle la gorge, on dirait qu'elle s'étouffe.

— Voyons, Marie-Douce! Est-ce que ça va?

— Oui, oui, c'est rien… En fait, euh, c'est que j'ai comme genre fait le ménage de sa chambre… Avec du savon, des gants, un seau…

— Pourquoi t'as fait une chose pareille? C'est à lui de le faire! Je ne sais d'ailleurs pas pourquoi, mais on dirait que ça empire. Avant, il était plus propre. Il a dû voir la chambre de Samuel et s'en inspirer. C'est ça que ça fait les nouveaux amis, t'sais. L'influence des autres a beaucoup d'importance dans la vie d'un adolescent. Ah zut! Il se tient aussi avec le tarla! Il va devenir invivable!

— Le tarla? demande Marie-Douce.

— Xavier-le-tarla-Masson, c'est son nouveau nom.

— Très drôle… mais c'est pas ça que je voulais te raconter. Son ordinateur s'est allumé et…

— Attends! Ne dis rien! Il y avait des photos de femmes toutes nues?

Marie-Douce secoue la tête en riant.

— Non…

Je plaque ma main sur ma bouche, traumatisée par ce que je devine qu'elle va me dire.

– Tu as lu ses courriels ? Tu as découvert des affaires bizarres ? Est-ce qu'il a une double vie ? Une blonde ? Quelque chose d'intéressant ?

Elle ravale sa salive sans quitter mon regard.

– J'ai lu dans sa messagerie… mais j'ai rien touché. J'ai juste vu ce que Lucien écrivait.

– Quoi ? Et t'as attendu tout ce temps pour me dire ça ? T'aurais pas dû me laisser raconter mes histoires ! Des nouvelles de Lucien, c'est CAPITAL !

– Ouais ben… ses messages étaient très vagues. J'ai surtout compris que son père le surveille trop.

– Est-ce qu'il a parlé de toi ?

– Non… il a rien écrit à mon sujet. Je pense qu'il a oublié mon existence…

– Impossible ! Lucien t'aime ! Oublie pas ça !

Mais ma sœur ne m'écoute pas.

– Et là Corentin sera en beau maudit parce que j'ai été dans sa chambre.

– Pouah ! Si c'était moi qui avais fait ce que tu as fait, il se serait fâché. Mais toi… il te vénère, il ne dira rien.

– Il ne me vénère pas, arrête !

– Non, il te voit dans sa soupe, c'est plus juste. Il est en amour par-dessus la tête avec toi. Tu le sais, je le sais et la planète entière le sait.

— Shhhh, murmure-t-elle, comme si mes paroles lui faisaient mal.

Soudain, j'ai une idée.

— Pourquoi tu ne lui écris pas ?

— À Corentin ? Pas besoin, il va voir en entrant dans sa chambre qu'une souris rouge est passée ! C'est rendu propre…

— Non, espèce de nouille, je parle de Lucien. Tu l'avais sur Skype ! Tu pourrais lui écrire !

Elle me fait des yeux de biche ahurie par des phares de camion.

— J'ai plus Skype, rappelle-toi, mon iPhone… glou glou glou…

Ma sœur se pince le nez pour mimer quelqu'un qui va sous l'eau et j'éclate de rire.

— Es-tu en train de me dire que tu penses que ton compte Skype s'est noyé avec ton iPhone ? T'es pas sérieuse, là, hein ?

— N… oui… C'est pas le cas ?

Je secoue la tête, découragée de voir à quel point ma sœur est nulle en informatique. D'une main rapide, je sors mon iPod de ma poche.

— Te souviens-tu de ton mot de passe ?

— Tu… tu… tu veux dire qu'on peut récupérer mon Skype sur ton iPod ?

— Ouaip ! Alors, tu t'en souviens ?

— De quoi ?

— Mot de passe… Ton pseudo, je l'ai déjà sur le mien, j'ai qu'à le récupérer.

— C'est Lucien qui avait installé mon Skype, dit-elle en se prenant la tête.

— Il t'a pas dit le mot de passe ?

— Non… euh… attends, il l'avait écrit sur un bout de papier. Je ne sais pas ce que j'ai fait avec… C'est pas grave. De toute façon, je ne veux pas lui écrire.

— Ni voir si lui, il t'a écrit depuis son départ ?

Elle fait non de la tête. Pauvre Marie-Douce, juste à parler de Lucien, elle devient toute crispée.

— OK, alors, on oublie ça !

Bien sûr, « on » ici n'inclut pas la personne qui parle…

Où peut bien être ce bout de papier ?

J'ai quelques petites recherches à faire dans cette chambre…

# Chapitre 13

## *Les affaires de Laura sont les miennes...*

Je l'ai échappé belle! Je connais le mot de passe de mon compte Skype, j'ai même failli le dire à Laura, mais je me suis ravisée juste à temps. Je ne veux pas écrire à Lucien, je ne saurais pas quoi lui dire. Je n'ai pas jeté mon iPhone à l'eau pour rien; attendre une réponse en vain, ça me ferait trop souffrir. S'il m'aime, il trouvera le moyen de me contacter. Mais zut… ce qu'il a dit sur Skype à Corentin, ça me rend morose. Il semble malheureux. Il ne faut pas que j'y pense.

Ce matin, Corentin me distrait de mes pensées grises sans le vouloir: il est en grande panique. Il n'a rien à se mettre sur le dos!

– Euh… tout était sale, j'ai voulu te rendre service.

– Alors, c'est toi qui as nettoyé ma chambre? J'y crois pas! Qu'est-ce que tu as fait de mes fringues? Ne touche plus jamais à mes affaires, Marie-Douce, t'as compris? Non, mais c'est pas vrai! Pour qui elle se prend celle-là?

Oh qu'il est fâché! Où est donc cette adoration que Laura m'a promise hier? On dirait bien que Corentin ne ressent plus cet « amour » inconditionnel qu'il avait à mon égard. Il fait les cent pas, me désigne du doigt. Des plaques rouges apparaissent sur ses joues comme quand il s'essouffle!

— Je suis désolée, Corentin. Je pensais te faire plaisir… Tes vêtements sont dans la laveuse…

Chez les Cœur-de-Lion, cette machine est un monstre, j'ai pu tout mettre dans la cuve d'un seul coup. Moi qui pensais gagner du temps ! Pour cela, il aurait fallu que je n'oublie pas de transférer les vêtements dans la sécheuse.

— Je suis assez grand pour m'occuper de mes affaires ! Non, mais, ça va pas ?

— T'as qu'à les faire sécher…

Il arrondit les yeux et lève les mains en l'air. Je recule lentement. Pour être honnête, j'ai même un peu peur de lui.

— Tout est encore mouillé ?

— Euh… oui… peut-être un peu sec, depuis hier… mais… t'aurais porté ton linge sale ce matin ?

— C'étaient pas que des fringues sales ! J'avais fait des piles.

— C'étaient pas des piles, c'étaient des tas ! Non, des montagnes ! Et ça puait !

Corentin ne m'écoute pas, il tourne en rond en marmonnant.

— Maintenant, il ne me reste que mon pantalon de collège. Il doit être trop court…

— Emprunte un pantalon à ton père, vous avez pratiquement la même taille depuis cette année.

À cette suggestion, j'ai droit à un regard assassin. J'imagine qu'il est aussi hors de question pour lui de porter les vêtements de son papa que pour moi de porter ceux de Miranda.

— Je préfère porter un futal dégoulinant de détergent que de piocher dans la garde-robe de mon père !

Il s'éloigne en continuant à marmonner une tirade de bêtises. Je soupire ; j'en entendrai parler longtemps de cette méga gaffe, c'est écrit dans le ciel.

La journée est longue. J'attends la fin de ce mercredi avec impatience. Je dois absolument parler à Samuel Desjardins. Si ce qui s'est produit entre Laura et lui est de ma faute, il faut que je répare les dommages.

Dès que la cloche retentit pour annoncer la fin des classes, je me faufile entre les casiers. Il faut éviter à tout prix que Laura me voie m'approcher de Samuel. Comme les cases sont attribuées par ordre alphabétique, celle de Samuel est placée à côté de celles de Samantha et de Constance. Ce sera un peu comme jouer à « Mission impossible » pour l'accrocher au passage sans que des oreilles curieuses nous écoutent… Et ça, c'est si ses copains

(Xavier, Maurice, Corentin et j'en passe!) ne sont pas déjà avec lui.

— Marie-Douce, tu voulais me voir?

Alexandrine Dumais me regarde avec un grand sourire. Sa case est dans la même rangée que celle de Samuel, évidemment.

— Ah, salut Alexandrine.

Mes yeux vont de gauche à droite pour voir si nous sommes écoutées. Il n'y a que quelques élèves que je ne côtoie jamais, la voie est donc libre.

— Comment tu vas? me demande-t-elle. Est-ce que t'as quelque chose de secret à me dire? On dirait que tu te caches...

— Je me cache de Laura... et de Constance et de Samantha...

Une curiosité soudaine se lit sur le visage d'Alex. Ses yeux brillent d'espièglerie.

— Ooooh... ça semble palpitant... Raconte!

— J'ai rien à raconter. Euh... je cherche Samuel, tu l'as vu?

À cette question, elle croise les bras sur sa poitrine.

— Tu veux parler à Samuel à propos de Laura, c'est ça? J'étais là, quand ils ont cassé. Laisse-moi te dire que c'est lui qui a été con. Il ne la mérite pas, si tu veux mon avis.

— Penses-tu qu'il l'aime encore?

Alexandrine passe une main dans ses longs cheveux caramel et grimace.

— Pour être honnête, c'est très difficile à dire. Penses-tu vraiment qu'un garçon de quatorze ans sache ce qu'est l'amour? J'en doute fort. C'est tellement épais, un ado…

— Samuel est pas idiot!

Elle roule les yeux, puis se fige. Son expression vient de changer du tout au tout, on dirait qu'elle a vu fantôme!

— Il arrive. Il est avec Xavier Masson. Viiiitte, cache-moi!

— Quoi?

Elle tire le livre d'histoire du Québec que je tenais dans mes mains pour l'ouvrir devant son visage et fait semblant de le lire.

— Allô, Marie-Douce! dit Samuel.

— Salut, ma fausse sœur indirecte, ricane Xavier.

Je fronce les sourcils, incertaine de comprendre la blague. Je remarque une ecchymose sur le menton de Xavier, mais je ne pose pas de question à ce sujet.

— Pourquoi tu dis ça?

Xavier me fait un sourire en coin. Il est beau quand il sourit. Je n'avais jamais remarqué avant.

— Ben… t'es la fausse sœur de Laura, je suis son faux frère. Ça fait que toi et moi, on est…

— … rien du tout ! dis-je en riant.

Il s'esclaffe à son tour.

— Ouais, t'as raison. On n'est rien pantoute !

Il regarde par-dessus mon épaule vers Alexandrine qui semble bien concentrée derrière mon livre.

— Hé, la studieuse, youhouuu, la journée est finie, tu peux lâcher ton livre.

Prise à son propre jeu, Alex roule les yeux et referme mon bouquin en le claquant.

— Va chez le diable, Xavier !

Ooooh ! On dirait qu'il y a de la tension entre ces deux-là. Mais je n'ai pas de temps à perdre à essayer de comprendre. Je n'ai pas d'énergie à mettre dans les histoires des autres. Je me retourne vers Samuel qui fouille déjà dans sa case pour remplir son sac.

— Samuel, je peux te parler un instant ?

Il me dévisage et je vois ses joues rougir. Il sait d'avance pourquoi je l'approche, c'est clair. On ne se parle jamais quand Laura n'est pas en cause. Sans répondre, il recule vers les vitres, derrière les casiers, pour que je le suive.

— Soyez sages ! ricane Xavier.

– On s'en va pas *frencher*, épais! rétorque Samuel par-dessus son épaule.

Il s'appuie à la rampe de bois qui longe les grandes vitrines. Il a une main recouverte d'un bandage. Est-ce que ça pourrait avoir un lien avec le menton abîmé de Xavier? Ils ont pourtant l'air de s'entendre comme larrons en foire, ce matin. Ah, les gars! Je ne les comprendrai jamais.

Le soleil qui se couche m'aveugle un peu, alors je me place à côté de Samuel, tournant le dos à la vitre.

– Tu veux encore savoir pour Laura? demande-t-il sans perdre une seconde.

– Évidemment.

– Écoute… c'est rien contre elle, mais chez nous, la famille, ça passe avant tout, tu comprends?

Je hoche lentement la tête, les lèvres pincées. J'ai le cœur en bouillie d'entendre ça de la bouche de Samuel.

– Et tu as donc choisi de prendre le parti de Constance et de ta sœur, même si tu sais très bien que tout ce qu'elles t'ont dit pour faire pitié, c'était des conneries?

– Comment ça, des conneries?

J'hésite un peu. Pour faire comprendre la situation à Samuel, je dois parler en mal de

Constance. Je n'aime pas médire des gens, j'ai toujours l'impression qu'où qu'ils soient, ils peuvent le sentir… Tant pis pour cette fois-ci, c'est trop important.

— Constance a fait exprès de me faire de la peine. Elle est jalouse… et tu sais que je ne te dirais pas ça si j'avais pas de bonnes raisons de le croire. C'est pas mon genre de bavasser…

Samuel tourne la tête en soupirant et repousse la rampe de ses paumes pour se redresser. Mais je n'ai pas terminé, il faut qu'il voie les choses en face !

— Écoute, Samuel, je ne fais que te dire les faits. Depuis que ma vie a changé, avec toutes ces histoires de photo virale et mon changement de look, Constance n'est plus pareille. On dirait qu'elle me déteste et elle cherche souvent à me rabaisser.

Samuel ferme les yeux, sa main sur son front, découragé.

— OK, je vais réfléchir à ça. Tu sais, avec Laura, il n'y a jamais rien de simple. Je suis très occupé avec le hockey, mes problèmes en maths, et tout le reste… Si je pense trop à elle, j'ai du mal à faire ce que j'ai à faire.

— Tu veux dire que tu as cassé avec Laura parce qu'elle te déconcentrait de tes tâches ?

— Non, pas au départ, mais je me rends compte qu'avoir une blonde présentement, ça serait compliqué. Avec elle, tout est embrouillé, tout le temps. En passant, j'ai pas cassé, dit-il. C'est elle qui a rompu. Quand nous nous sommes disputés à cause de Constance, je lui ai demandé d'attendre. Je voulais qu'on discute pour trouver un terrain d'entente, pour justement éviter de casser, mais elle est partie et on n'a pas pu parler. C'est donc elle qui m'a *flushé*! Et je l'aime encore malgré tout. Pourquoi crois-tu que j'ai cassé la gueule à mon ami hier pour la défendre quand il l'a humiliée dans le parc?

— Comment ça, humiliée?

— Il a ri d'elle parce qu'elle a lu un message de lui qui m'était adressé… Il s'est aussi moqué de ses cheveux.

— Oh non! Pas de ses cheveux!

Ça, c'est terrible. Telle que je connais Laura, elle voudra se raser la tête juste parce qu'un gars lui a dit des conneries! Éberluée par cette nouvelle, je regarde sa main blessée. J'avais donc bien deviné, mais je ne savais pas que c'était pour Laura!

— Mais je l'ai défendue, répète Samuel. Xavier a payé pour ce qu'il a dit.

— Et vous vous parlez encore, tous les deux?

— Ouais, on a réglé ça vite.

*C'est ce que je pensais, entre gars, ça semble si simple !*

— Elle ne doit certainement pas le savoir, elle ne m'a rien dit !

L'expression sur le visage de Samuel est ahurissante. Ses joues se colorent de rouge et ses yeux s'agrandissent.

— Elle ne sait pas quoi ? Que j'ai pas cassé ? Que je l'aime ? Ou que je me suis battu avec Xavier ?

J'expire d'un coup sec tout l'air de mes poumons.

— Les trois… Elle ne sait pas que tu l'aimes, que t'as pas cassé et n'a sûrement pas vu ta bagarre avec Xavier. Ou si elle vous a vus, elle n'a pas deviné que c'était pour elle.

Samuel serre les lèvres et se redresse en s'éloignant de la rampe de bois.

— Dis-lui rien, s'il te plaît. Laisse-moi m'en occuper. Quand je parlerai à Laura, je veux avoir du temps pour elle, tu comprends ? Aussi, je dois réfléchir. Elle est tellement difficile à suivre, c'est peut-être pas une bonne idée que je sorte avec elle.

Je le regarde sans répondre…

— Tu me promets de ne rien dire ? insiste-t-il. Je ne veux pas gâcher notre relation à cause de mes autres problèmes. Cette pause tombe bien. Aide-moi à attendre le bon moment, OK ?

– Mais si tu décides de ne pas continuer votre relation…

– Je te promets qu'elle le saura clairement, OK ? Je ne la laisserai pas m'attendre pour rien.

– D'accord. Ça lui brisera le cœur si tu la laisses…

– Le mien aussi, mais ce sera mieux comme ça, dit-il, le regard accablé.

Comment pourrais-je ne pas révéler tout ça à Laura ? C'est impensable, ce qu'il me demande ! D'un, elle qui est si malheureuse, je pourrais la délivrer de sa tristesse en quelques secondes… ou presque. (Bien sûr, je ne mentionnerais pas la possibilité que Samuel puisse casser pour de vrai.) Tout le reste de ce qu'il vient de me dire serait comme un coup de baguette magique sur son cœur ! Et de deux, elle m'en voudra à mort lorsqu'elle saura que j'avais ces précieuses informations en main et que je ne lui ai rien dit.

Je soupire… elle m'en voudra de toute façon d'être venue parler à Samuel à son insu. J'ai beau retourner les possibilités dans tous les sens : je suis dans le trouble peu importe ce que je décide.

Je serre les poings en répliquant à Samuel :

— Je le promets à condition que tu t'assures de tout lui dire bientôt, OK ? Ma sœur est malheureuse et je ne peux pas le tolérer.

Samuel incline la tête sans répondre avant de rejoindre Xavier.

# Chapitre 14

## Le graffiti mystère

Enfin jeudi! Hier soir, je n'ai pas pu chercher le fameux bout de papier indiquant le mot de passe du Skype de Marie-Douce puisque j'ai passé la soirée avec elle. Elle était bien loquace, plus que d'habitude. On aurait dit qu'elle cherchait plein de sujets à discuter. Les arts, la politique (hein?), le hockey (double hein?) et même la météo! Comme si elle voulait combler nos silences. Et Marie-Douce est plutôt du genre à aimer le silence…

Elle m'a aussi annoncé que Corentin s'est porté volontaire pour faire partie de l'équipe technique du spectacle. Il va s'occuper du son, semble-t-il. Que connaît-il là-dedans? Pauvre Corentin, n'importe quoi pour être proche de sa Marie-Douce. Quand va-t-il comprendre que le cœur de ma sœur ne bat pas pour lui? C'est beau l'amour… c'est triste aussi, lorsqu'il est à sens unique.

Tout en discutant, nous avons passé des heures sur notre devoir d'arts plastiques. Même si nous ne sommes pas dans la même classe, nous avons le même drapeau du Québec à réinventer. Celui de ma sœur est magnifique et elle continue à ajouter des détails même si, à mon avis, il est tout à fait terminé. Le mien… je dois être honnête, il fait pitié. Une chance que Marie-Douce m'a découragée de dessiner une tête-de-mort en guise de symbole pour la province. « On n'est pas des pirates, espèce de grande nouille ! » m'a-t-elle dit en riant. Moi qui trouvais ça *cool*… J'ai finalement opté pour le logo des Canadiens de Montréal avec une fleur de lys. Si le hockey ne représente pas le Québec, je me demande bien ce qui le ferait !

Donc, avec tout ça, à défaut de trouver le mot de passe du Skype de ma sœur, je peux obtenir le pseudo de Lucien. Pourquoi ne lui écrirais-je pas moi-même directement ? Marie-Douce me tuera pour ça, mais je dois courir le risque. C'est pour son bien.

— Hé, Corentin, t'es pas à la répétition pour le spectacle de danse ?

Il hausse les sourcils.

— Est-ce que j'ai l'air d'un danseur ? demande-t-il.

— Non… mais il paraît que tu vas t'occuper du son ?

— Ah ! Oui, c'est vrai. Mais je n'ai pas besoin d'être présent à chaque répétition, il y a un autre volontaire, on se partage le travail. N'ajoute rien, je sais ce que tu penses…

— Et qu'est-ce que je pense ?

– Qu'être sonorisateur du spectacle de Marie-Douce est un prétexte pour être avec elle, dit-il en soupirant.

J'éclate d'un rire qui est tout sauf naturel.

– Ben voyons ! Ha ! Ha ! je n'ai jamais pensé une idiotie pareille ! Toi, essayer de te rapprocher de ma sœur à tout prix ? C'est ridicule !

– Arrête de te moquer !

– OK, OK, j'arrête. As-tu ton iPhone ?

Mon ami se retourne pour me dévisager, surpris par ma demande. Nous sommes dans le tunnel qui mène à la cafétéria. En l'absence de ma sœur, je peux mieux mettre en œuvre mon super plan pour sauver ses amours avec Lucien.

– Ouais, pourquoi ?

Je tends la main avec un sourire espiègle.

– Allez, donne. Et entre ton code avant, s'il te plaît.

Je suis pressée. Pour une fois que Corentin n'est pas avec ses nouveaux potes. J'évite le tarla et Samuel, donc… faut faire vite avant qu'ils retontissent.

– Euh… t'es tombée sur la tête ou quoi ? Qu'est-ce qui t'intéresse dans mon téléphone ?

– Si je te le dis, faudra ensuite que je te tue, alors…

Il roule les yeux.

— Et tu penses vraiment me convaincre avec ça ?

J'agite encore ma main.

— *Goooo !* C'est pour Marie-Douce, si tu veux tout savoir ! On sait tous les deux que tu ne souhaites que son bonheur, pas vrai ?

Il cligne les paupières, puis son regard s'assombrit.

— Tu veux contacter Lucien, c'est ça ?

Je regarde à terre. Zut. Il a deviné et il a raison d'être fâché. Il faut que j'use d'imagination. *Allez, Laura, tu es capable d'improviser !*

— Écoute… si tu veux un jour avoir la moindre chance avec Marie-Douce, il faut régler la question « Lucien ». Il faut qu'elle aille au bout de cette histoire une fois pour toutes ! Si ça traîne en longueur, ça peut prendre des années, non, un siècle avant qu'elle se l'ôte de la tête. Pense stratégie, mon cher ! Et sois patient…

— Tu veux que je t'aide à les réunir pour accélérer la fin de leur relation ? T'es pas sérieuse ?

C'est à mon tour de rouler les yeux. Je me pose en grande experte (que je ne suis pas !) et mes arguments me surprennent moi-même.

— Écoute, Corentin, il faut regarder la situation globalement, tu comprends ? Tout le monde sait que tu aimes Marie-Douce et le jour où vous serez ensemble, ce sera pour toujours. Sans niaiser, j'en suis convaincue! Mais «pour toujours», c'est bien rapide à 14 ans. Il faut qu'elle vive un peu avant de tomber amoureuse de toi. Et toi aussi! Il faut que tu fréquentes d'autres filles. D'ailleurs, je pense que t'as une chance de tomber en amour qui te pend au bout du nez…

— J'ai pas de chance du genre! Tu racontes n'importe quoi!

Il ne me contredit pas sur le «pour toujours» avec Marie-Douce. Wow, le gars est vraiment en amour par-dessus la tête! C'est pas des farces…

— Donne-moi le pseudo Skype de Lucien et je te montre ta possibilité, dis-je d'un ton ferme.

Ah! Je suis la reine de la négociation!

— Mais de quoi tu parles?

— Donne-moi son pseudo.

— Azrael66611, mais fais pas de conneries!

Je note mentalement. Zut, voilà le tarla qui s'approche, avec Samuel qui suit pas loin derrière! *Sauve qui peut!*

— Merci! Je te montre ta prétendante plus tard… je dois y aller!

Corentin suit la direction de mon regard, aperçoit ses amis et empoigne mon bras.

— Ah non! Ça ne fonctionne pas comme ça. On a un marché. Je t'ai donné ce que tu voulais, tu dois remplir ta part du *deal*. Alors?

Je pince les lèvres alors que Samuel s'approche, en compagnie de Xavier. Ils me fixent tous les deux, puis Samuel regarde ailleurs. Xavier-le-tarla, lui, ne me rend pas ce service.

— Salut St-Amour! Ah non, je veux dire ma « fausse sœur »! Celle grâce à qui je ne peux pas jouer au hockey pendant encore une semaine! dit-il en brandissant sa main recouverte d'un bandage.

— Hé, c'était à toi de ne pas mettre ta main sous mon couteau! En passant, belle prune sur ton menton! Tu t'es enfargé dans tes lacets de bottines? Viens, Corentin, je vais te montrer le... le... truc dont on parlait.

— C'est ça, sauve-toi, fausse sœur! Ha! Ha! Ha!

— Laisse-la tranquille, Xav, dit Samuel à Xavier.

Mon cœur bat à tout rompre! Samuel qui vient à ma défense contre le tarla! Je crois rêver. Je cherche son regard pour y lire un signe quelconque de ses sentiments envers moi, mais en vain. Zut!

— Hé, j'ai rien dit de mal, proteste Xavier dans notre dos pendant que Corentin me tire vers les escaliers qui mènent à la salle F.

— Montre-moi ton « truc », dit-il.

– Viens.

D'un pas décidé, je le dirige vers les toilettes des filles.

– Hé! Je ne peux pas entrer là!

– Juste sur le seuil.

– Qu'est-ce qui est sur le seuil? Je croyais que tu allais me présenter quelqu'un!

– Mmmmm... pas exactement... Regarde!

– C'est ÇA, ma prétendante? s'étonne-t-il d'une voix franchement déçue.

– Ben oui, regarde... Coco, c'est sûrement toi! Quelque part entre ces murs... il y a une fille qui rêve d'être ta blonde...

Il secoue la tête et se met à énumérer tous les « cocos » possibles: Colin Lanthier, Cory Bullum, Colette Dupuis, Constance Desjardins... C'est à croire qu'il les a appris par cœur!

— Je persiste à dire que c'est toi, ce fameux Coco.

Corentin soupire en se frottant la mâchoire. Il est agacé par mon insistance, mais en même temps, je le sens curieux. Il ne pourra pas tenir longtemps… il voudra en savoir plus !

— En admettant que Coco soit moi, C.B., tu sais qui c'est ?

Aha ! Je le savais que son intérêt ne tarderait pas à être titillé !

J'allais secouer la tête pour dire que non, je n'ai aucune idée de l'identité de C.B., lorsque Clémentine passe devant nous. Elle me fait un sourire, puis se fige lorsque Corentin se retourne vers elle. Elle me lance un regard apeuré, comme si elle avait vu un fantôme.

— Qu'est-ce que vous faites là ?

— Tu sais parler, toi ? demande Corentin spontanément.

— Bien sûr que je sais parler, bafouille Clémentine, visiblement distraite par quelque chose…

Je suis la direction de son regard : il pointe tout droit vers le graffiti. **C.B.** Clémentine Bougie. *Bingo !*

– Rien… on discutait. Est-ce que ça va bien, Clémentine ? Tu es très jolie aujourd'hui, dis-je avec un sourire encourageant.

*Allez… parlez-vous… tombez amoureux… sortez ensemble ! (Mais pas trop, il ne faut pas que Corentin n'ait plus de temps pour moi, tout de même !)*

– Euh… merci… Excusez-moi, je dois aller me laver les mains… Laura… euh… tu viens ?

– Je te suis ! dis-je à Clémentine non sans adresser à Corentin un clin d'œil peu discret.

Mon ami serre les lèvres en glissant les mains dans ses poches. A-t-il deviné que C.B., c'est peut-être Clémentine Bougie ? À voir son regard surpris, c'est sûr que oui. Corentin est perspicace, il n'en manque pas une. Mais, ouille… pas sûre qu'il soit heureux de sa fameuse « prétendante ».

# Chapitre 15

## Une « Bougie » fantôme

Je me suis mordu la langue une dizaine de fois hier. Ce n'est pas mon genre de parler de la météo et encore moins de hockey. Je devais me retenir à deux mains pour ne pas dire à Laura que j'avais discuté d'elle avec Samuel. Je me fiche qu'il ait aussi mentionné le fait qu'il pourrait décider de mettre fin à sa relation avec elle. Tout ce qui compte, c'est qu'il l'aime. Il ne l'abandonnera pas, j'en suis certaine.

Corentin est assis seul sur un banc de la salle F, chose rare. Autant en profiter pour avoir son avis.

– Hé, salut…

– Salut, dit-il, en détachant ses écouteurs de ses oreilles.

C'est moi ou il est de mauvaise humeur ?

– T'as deux minutes ?

Il hoche la tête sans me regarder. D'habitude, il me fixe sans arrêt. Je ne suis pas habituée à me faire ignorer par Corentin. Je tâte mes cheveux courts en soupirant. Ça doit être mon nouveau look qu'il n'aime pas. Tant pis ! L'important, c'est que moi je me sente bien avec cette tête-là.

– Qu'est-ce que tu veux, Marie-Douce ? demande-t-il.

Zut, il est encore fâché à cause de mon invasion ménagère dans sa chambre.

– Tu m'en veux encore pour ton linge mouillé ? Je vais te le redire, je suis vraiment désolée, je ne recommencerai plus. Promis.

– J'espère bien, dit-il. Mais ça va... De quoi veux-tu me parler ?

Je m'assois à ses côtés, tâtonnant mes genoux, un peu mal à l'aise.

– Ben... je voulais te parler de Laura. J'ai discuté avec Samuel et là, je ne sais plus quoi faire.

– Tu t'es encore mêlée des affaires de Laura ? Ah ! Les filles, j'vous jure ! Vous êtes toutes pareilles. Incapables de penser à autre chose qu'à « qui sort avec qui ? ».

– Arrête de me faire la morale et aide-moi donc !

– T'aider à quoi faire ? demande-t-il d'un ton impatient.

– OK, bon... puisque tu ne veux pas m'aider... je te laisse bouder, dis-je en me levant.

Sa main sur mon poignet freine mon élan.

– Pars pas, dit-il. Excuse-moi. Que voulais-tu me dire ?

– Laura pense que Samuel a cassé avec elle, mais en fait, il croit que c'est elle qui a rompu. Il m'a dit qu'elle l'avait *flushé*. Il l'aime...

– Je sais, dit Corentin.

– Comment ça ? Qu'est-ce que tu sais ?

— Il a cassé la gueule de Xavier, j'ai dû les séparer ! Laura était déjà partie. Il paraît que Xavier s'est moqué d'elle, Samuel s'est fâché, la bagarre a éclaté…

— Ah, ce Xavier ! Il est pas de tout repos, hein ?

Corentin hausse les épaules.

— Faut apprendre à le connaître. Il a vécu des choses difficiles. Son père est mort au combat il n'y a pas longtemps, et avec sa mère, c'est compliqué. Il est enfant unique, pas de famille pour le prendre en charge. C'est pour ça qu'il vit chez le père de Laura. Ça n'excuse pas le fait qu'il soit souvent méchant, mais ça l'explique. Et Laura est capable de le provoquer, tu es bien placée pour le savoir.

— Pourquoi c'est jamais facile, la vie ? Tu peux m'expliquer ça, toi ?

Corentin éclate de rire.

— Je suis la dernière personne à qui tu devrais poser cette question. Ma vie avec vous deux est tout sauf simple. Arrête de t'inquiéter, les choses vont s'arranger d'elles-mêmes.

— Je ne peux pas faire autrement, je tourne en rond depuis hier. J'ai envie de le dire à Laura, mais je ne sais pas trop comment, et comme tu le mentionnes si bien, je me suis encore mêlée de ses affaires… c'est pas très *cool*. Elle va sûrement m'en vouloir.

Il s'esclaffe jusqu'à être plié en deux !

— Vous êtes hilarantes !

— Pourquoi ? Hé ! Arrête de rire ! C'est pas drôle. J'ai besoin que tu me dises quoi faire ! Tu la connais bien, toi !

— Toi aussi ! dit-il en reprenant son souffle.

— Mais toi, c'est pas pareil. T'as pas le même angle sur Laura. Allez, aide-moi ! Ton avis compte beaucoup pour moi.

Il se tourne finalement vers moi et me scrute. Il met un temps interminable à me parler.

— Est-ce que moi, je compte pour toi ? Ou seulement mon avis ? Hein, Marie-Douce ?

Je suis surprise par sa question directe et son regard insistant ; mon cœur bat à tout rompre. Je ravale ma salive.

— Évidemment que tu comptes pour moi, Corentin. Mais…

*Mais j'aime Lucien ! Même si c'est sans espoir, il ne quittera jamais mes pensées !*

— Excuse-moi. C'était con de te poser cette question, dit-il rapidement. Pour ce qui est de Laura, je la laisserais régler ses problèmes toute seule. Ne lui dis pas que t'as parlé à Samuel, elle va s'énerver pour rien.

*Pas sûre que ce soit pour rien ! Ce que j'ai à dévoiler change TOUT !*

– Zut… j'espérais que tu me conseilles de tout avouer…

– Alors, fais-le ! s'exclame-t-il en riant.

– Mais, tu viens de dire le contraire !

– Tu vas faire à ta tête de toute façon, je commence à te connaître. Mais tu veux un vrai conseil ? T'en mêle pas. Laisse Samuel s'en occuper.

– Tu crois qu'il le fera ? Je veux dire… dire à Laura qu'il l'aime et tout… Il dit qu'il pourrait aussi la laisser pour de vrai. Ça serait terrible ! J'aimerais que tu le convainques de ne pas lui briser le cœur ! Fais-le pour elle…

Corentin me fait un drôle d'air.

– Je ne pense pas qu'il va la laisser tomber, affirme-t-il. Il va lui parler quand le moment sera venu, voilà tout ! Mais attends ! Tu veux que je force Samuel à aimer Laura ? T'es folle ou quoi ?

– Pas à l'aimer, voyons ! Il l'aime déjà. Je veux que tu lui fasses comprendre qu'il doit sortir avec elle.

— Pourquoi je ferais ça, hein ? Est-ce que tu t'entends ? C'est ridicule !

— L'amour, c'est jamais ridicule, Corentin.

— À qui le dis-tu ! marmonne-t-il, sarcastique.

— Arrête de niaiser, je suis sérieuse !

— Je ne suis pas dans sa tête, mais…

— En tout cas, merci…

— À mon tour. J'ai une question pour toi, moi aussi, dit-il.

— Vas-y…

— Clémentine Bougie, tu la connais ? Celle avec les cheveux noirs…

— Je l'ai connue à l'école primaire, mais on ne s'est pas vraiment parlé depuis les dernières années. Surtout qu'elle était pas mal dans sa bulle ces derniers mois… Je pense qu'elle a des problèmes chez elle. Pourquoi ?

— Rien ! Laisse tomber…

— Non ! Dis-moi, Corentin, allez !

— Elle a dessiné un cœur sur le mur des toilettes des filles avec mon nom et le sien… Enfin, elle n'a pas confirmé, mais je suis sûr que c'est elle.

— Wow… T'es entré pour aller voir par toi-même ?

— Disons qu'elle a laissé Laura le deviner devant moi et qu'elle n'a pas démenti.

— Est-ce qu'elle te plaît ?

– Je n'y ai jamais pensé avant. Elle vivait comme un fantôme… mais maintenant qu'elle parle, elle a l'air chouette. Je réfléchis… Si c'est bien elle qui a dessiné ce cœur et que c'est bien mon surnom qu'elle a mis, alors… je crois que je vais lui parler. Tu sais, découvrir si elle est *cool*, et tout…

– Elle était « chouette » avant… Je suis sûre qu'elle l'est encore. Je te laisse à tes réflexions. Merci de ton aide… euh… au sujet de Laura.

Je m'éloigne, tentant d'imaginer Corentin avec Clémentine… J'ai un petit pincement au cœur à l'idée qu'il soit possible qu'un jour, je ne sois plus aussi « précieuse » pour lui. Mais dans la vie, on ne peut pas tout avoir… Je ne peux pas garder Corentin dans une bulle scellée.

# Chapitre 16

## Mèche vendue !

Clémentine avance devant moi jusqu'au grand miroir. Dans les toilettes, il n'y a pas de lavabo, mais plutôt un lave-mains en forme de fontaine au milieu de la pièce. Elle semble nerveuse et agitée. Je sais que j'ai visé dans le mille concernant le graffiti.

— Alors, c'est bien toi qui as dessiné ce cœur.

— Oui, confirme-t-elle.

— Donc, Coco, c'est bien Corentin ?

Clémentine hoche la tête. *Yes ! J'avais raison !*

— Mais c'est génial ! J'ai eu peur que ce soit une fille que j'aurais eu du mal à endurer. Il est super gentil, tu vas voir, tu ne le regretteras pas. Vous allez faire un super beau couple et tu pourras venir chez nous. Sa maison est immense !

Mais Clémentine roule les yeux, les mains sur les hanches.

— Hé, wô, Laura, tu vas un peu vite, là. J'ai écrit ça pour le fun, sur un coup de tête… J'ai jamais pensé que quelqu'un devinerait aussi facilement.

— Tu m'as laissée le deviner. T'aurais pu mentir, tu sais…

— Je n'ai plus envie de me cacher, tu vois… C'est une promesse que je me suis faite, je tiens à la respecter. Ça fait bien assez longtemps que je me suis retirée du monde. Mais ne dis rien à Corentin. Il ne sera pas intéressé par une fille comme moi.

J'ai tout de même encore mon orgueil, tu vois… Au moins, maintenant, moi aussi j'aurai quelque chose à dire dans vos interminables conversations au sujet des garçons.

*Oupssss! Trop tard!* Par mon clin d'œil au principal intéressé, j'ai déjà vendu la mèche! Pas de panique, je n'ai qu'à dire à Corentin de faire semblant qu'il ne sait pas que c'est lui le Coco du graffiti.

— Comment ça, une fille comme toi?

Elle grimace en jetant un regard sur ses vêtements noirs. À part son chandail gris à l'effigie de l'école, on voit bien qu'elle arbore le style gothique de la tête jusqu'à la pointe de ses bottines noires. Ses longs cheveux couleur corbeau et ses yeux charbonneux la font ressembler davantage à un membre de la famille Adams qu'à une élève de 2$^e$ secondaire, timide et romantique.

— Regarde-moi, Laura. Je suis loin du type de fille qui peut attirer un gars comme Corentin. Il est si… parfait.

— Crois-moi, Corentin Cœur-de-Lion est bien beau, mais loin d'être parfait.

— Qu'est-ce que tu veux dire? demande-t-elle.

La méfiance que je lis dans ses yeux me fait sourire.

— Rien de mal, juste que c'est pas le bon Dieu. Maintenant que tu as rompu ton vœu de silence, tu pourras le découvrir par toi-même… Je suis certaine que Corentin pourrait te voir comme une fille super *cool*, si un jour tu te décides à lui parler.

— Merci… Je ne suis pas pressée. Et puis, avant de penser à approcher Corentin, il faut que je dévoile à Alexandrine que j'ai recommencé à parler. Il faut aussi que je discute avec ma tante chez qui je veux aller vivre et avec mes parents. Ma vie est compliquée, présentement.

— Je comprends, prends tout ton temps, dis-je en touchant doucement son bras.

Clémentine sourit. Je n'avais jamais remarqué à quel point cette fille peut être jolie, lorsque son visage s'illumine. Je suis heureuse d'être témoin du fait qu'elle sorte enfin de sa coquille. J'ai hâte que sa vie redevienne plus calme. C'est vrai qu'elle a beaucoup de choses à régler.

— Quand vas-tu annoncer ta grande nouvelle à Alex ?

— Je compte lui dire ce soir. Pour l'instant, Corentin et toi êtes les seules personnes à qui j'ai parlé. Tu pourras lui dire d'être discret, s'il te plaît ? Si Alex apprend par quelqu'un d'autre qu'elle n'a pas été la première, elle sera très fâchée.

*Je l'ai déjà dit à Marie-Douce ! Mais ma sœur, ça ne compte pas !*

– Je le dirai à Corentin, sois sans crainte.

La cloche retentit, c'est la fin de la pause. Je dois aller en maths. Je traîne les pieds jusqu'à l'escalier que je gravis sans entrain, le cœur dans la gorge. Faire encore face à Samuel qui m'ignore depuis notre rupture, c'est lourd. Depuis mon humiliation de mardi dernier, je passe mon temps à m'en tenir loin, à ne pas croiser son regard. Heureusement, Xavier-le-tarla s'est tenu dans la salle G, donc loin de moi. À cause de lui, j'ai aussi évité d'aller chez papa.

C'est décidé, ce soir, je vais chez mon père pour parler à Xavier. Je n'ai pas le choix. Ma mère dit toujours qu'il faut communiquer, alors c'est ce que je vais faire. Si on peut convenir d'un horaire pour s'éviter, ce sera un réel soulagement.

La salle de cours est bruyante. La prof est encore en retard. Tant mieux, parce que moi aussi ! J'entrevois Samuel parmi les élèves, il est immobile à son pupitre, les bras croisés sur sa poitrine, ses jambes étendues devant lui. C'est très bizarre de le voir ainsi. Il est toujours agité, à rire avec les autres. Pas aujourd'hui. Je m'assois à ma place. OK, je l'avoue, j'ai ralenti le pas en passant près de lui. J'espérais quoi ? Que ces trois secondes de plus l'aideraient à se décider à dire « Laura, tu m'as tant manqué ! Il faut que je te voie ce soir… » ? Rien n'est si facile. Ma vie n'est pas un conte de fées où je verrais mes vœux se réaliser dans la minute.

Une fois le cours terminé, je reprends le même manège. Un pas lent devant son pupitre… Il semble hésiter à se lever. Zut, il attend que je me sois éloignée pour sortir de la classe. J'ai le cœur en bouillie.


La journée s'achève et je dois aller chez mon père. J'ai vraiment besoin de parler à Xavier, même si ça me rendra folle.

J'espérais que la Mercedes de Miranda conduite par Bruno soit devant l'école. Mais non. Ç'aurait été trop simple. Mon père habite à au moins cinq kilomètres de l'école. Xavier prend l'autobus quand il ne traîne pas au parc de skate, mais moi, comme j'habite tout près (chez Hugo et ma mère), je ne suis pas inscrite au transport scolaire.

— Qu'est-ce que tu dirais d'une petite marche jusque chez mon père ?

Marie-Douce, qui vient de me rejoindre dehors, lève les sourcils.

— Euh… j'allais chez papa et Nathalie, ce soir…
Pourquoi tu veux aller chez ton père ? C'est super
loin à pied et Bruno est encore à Montréal avec
Valentin.

— Je dois parler à Xavier…

Marie-Douce saisit mon bras, visiblement
inquiète. Mais elle est inquiète de quoi ? Je ne lui ai
rien dit à propos de mon humiliation totale de mardi
dernier au parc devant Samuel ! C'est bizarre !

— Qu'est-ce qu'il a fait encore ? demande-t-elle
d'un souffle sec.

— Comment sais-tu qu'il a fait quelque chose ?

C'est bizarre, ma sœur rougit. On dirait que
je viens de la surprendre la main dans un pot de
biscuits interdit.

— Il est pas facile à vivre… alors, euh…

En me moquant de son bafouillage, j'entoure ses
épaules de mon bras en riant.

— On a plusieurs kilomètres à parcourir. Je sens
que t'as quelques petites choses à me dire, chère
Marie-Douce…

# Chapitre 17

## Une promenade
## en clichés

Je dois dire que je n'ai JAMAIS été aussi heureuse de voir Corentin s'interposer entre Laura et moi. J'allais flancher, tout lui dire, depuis mon intervention auprès de Samuel jusqu'à la confidence de ce dernier quant à son amour pour ma sœur. Ouf! C'est vraiment passé à un cheveu!

Mais Corentin agit de façon bizarre. Il s'est placé entre nous, saisissant à chacune un de nos bras qu'il a glissés sous les siens.

— Chères Marie-Douce et Laura! Ah, comme je suis heureux de vous avoir dans ma vie. Les deux filles les plus loyales, l'une envers l'autre. Celles qui n'ont AUCUN secret l'une pour l'autre. Ma foi! On dirait de vraies sœurs!

— On est des vraies sœurs, intervient Laura d'une voix blasée. Corentin, qu'est-ce qui te prend?

Corentin nous fait même un rire sarcastique.

— Oh rien! Je suis de bonne humeur, c'est tout! Un gars n'a pas le droit d'exprimer sa joie d'avoir deux filles aussi formidables dans sa vie? Ah! les familles reconstituées. N'est-ce pas merveilleux?

Mais qu'est-ce qui lui prend?

— Tu vas nous tenir comme ça jusqu'à Vaudreuil-sur-le-Lac? demande Laura, manifestement irritée.

— Peut-être bien! Non, je pense que je vais prendre quelques photos et vidéos, dit-il en sortant son iPhone de sa poche. Les feuilles commencent à changer de couleur, ça sera génial.

*Encore des vidéos ?*

Corentin a dû prendre cent clichés, sans compter les vidéos qu'il a filmées alors que nous faisions les folles pour la caméra. Je ne sais pas ce qu'il lui prend depuis quelques jours. Il n'était pas du genre à tout photographier de façon aussi compulsive auparavant. C'était tout de même amusant de nous promener sur l'avenue Saint-Charles en faisant des grimaces et des poses comiques. Les automobilistes nous regardaient comme si nous étions cinglés, ce qui ne faisait qu'ajouter à notre plaisir.

Un peu échevelés, nous arrivons chez le père de Laura trois quarts d'heure plus tard. Ma sœur est nerveuse. Je le serais aussi à sa place. À cause de Corentin, nous n'avons pas pu parler de ses problèmes avec Xavier.

D'ailleurs, il y a trois sujets tabous lorsque nous nous retrouvons avec lui : Samuel, Lucien et Xavier. Ses meilleurs amis. Ce n'est pas faute d'avoir essayé de lui tirer les vers du nez. Laura a tout tenté pour le faire parler, ou du moins essayer de le soudoyer pour qu'il aille à la pêche aux informations. « Est-ce que Samuel a parlé d'elle ? Est-ce que Xavier a un point faible qu'elle pourrait exploiter ? Est-ce qu'il a des nouvelles de Lucien ? » La réponse de Corentin a toujours été ferme : « Je ne suis pas votre messager, encore moins votre espion. Si vous voulez des informations, soyez directes et allez les chercher à la source ! »

– Hé ! Moi, je t'ai rien demandé !

Corentin lève un sourcil avec un sourire dangereux.

– T'es certaine de ça, Marie-Douce ?

Je rougis jusqu'aux oreilles, évidemment ! Laura ne manque rien des plaques rosées qui se forment sur ma peau, mais elle doit entrer, Xavier est à la fenêtre. Encore une fois, je l'ai échappé belle !

– Souhaitez-moi bonne chance…

Ma sœur entre dans la maison à reculons. Je lui mime du bout des lèvres un « Sois forte ! » Elle sourit et entre, le menton relevé.

Ça, c'est la Laura qui me rend fière !

# Chapitre 18

*Là où ça fait mal*

Martine, la conjointe de mon père, est dans la cuisine, penchée au-dessus de ce qui ressemble à une énorme sauce à spaghetti. Ça sent le laurier, l'ail et la sauce tomate. Elle paraît surprise de me voir, mais sa stupéfaction se transforme vite en soulagement.

— Laura! Je suis contente que tu sois là! Tu peux me rendre un petit service et surveiller Fred pendant que je vais chercher la lessive au sous-sol? Merci, t'es un ange! Ah! Et tu restes pour souper, j'espère? Je vais faire une lasagne d'enfer.

Ce disant, elle me tend ma demi-sœur sans attendre que j'accepte. À l'entrée du salon, à quelques mètres de nous, Xavier me regarde, les bras croisés sur la poitrine.

— Je vois que tu ne sers à rien!

— Hé, c'est ta sœur, pas la mienne, rétorque-t-il.

— Pendant un instant, je croyais que t'allais dire que c'était une job de fille de s'occuper des bébés!

— Tu me sous-estimes, dit-il.

— Toi aussi, tu me sous-estimes!

Tâchant de l'ignorer, je m'assois sur le divan, Frédérique sur mes genoux. D'instinct, je la fais sautiller en claquant mes talons au sol. Mes bruits de cheval la font rire aux éclats. À ma grande surprise, Xavier se laisse tomber à côté de nous sur le divan et se met à faire le gorille. La petite rit si fort qu'elle émet un cri strident, ses grands yeux presque noirs deviennent ronds comme des billes.

— Tu fais un bon gorille, mais je ne peux pas dire que je sois surprise, dis-je, sans le regarder.

Je sais, c'était un compliment/insulte… mais on fait ce qu'on peut avec ce qu'on a.

— Je suis bon dans tout ce que j'entreprends, dit-il, en se levant pour disparaître de la pièce sans regarder derrière lui.

Je roule les yeux. Le gars est sérieusement désagréable, et je m'évertue à lui parler pour faire la paix…

*Bonne chance, Laura, tu perds ton temps!*

Des bruits provenant du sous-sol attirent notre attention, à Fred et à moi.

*Bam! Bam! Bam! Bam! Bam!*

— C'est quoi ça? dis-je à Fred dont la bave dégouline sur mes doigts.

Drôle comme sa salive ne me dégoûte pas. Est-ce que c'est parce que c'est ma petite sœur et que je commence à l'aimer? Ça se peut…

— Fred, je pense que je serai la meilleure grande sœur du monde. Je vais t'apporter des bonbons et te montrer les meilleurs mauvais coups de l'univers!

Je la colle contre moi alors que les coups reprennent :

*Bam ! Bam ! Bam ! Bam ! Bam !*

Puis encore plus vite :

*Ba-ba-ba-ba-ba-bam !*

— Est-ce qu'on va voir ?

Ma petite sœur me fait un « Aaaah » que je traduis comme un oui. Le bébé collé contre ma poitrine, je descends au sous-sol.

Papa est là, muni de gants de boxe. Un gros sac beige comme ceux des gymnases est accroché au plafond. Pas très loin, un ballon poire est suspendu à un socle de métal.

— C'est quoi tout ça ?

Mon père ressemble à un vrai boxeur. Il ne lui manque que la sueur et les ecchymoses au visage. Il me salue de son gant et dépose un baiser sur mon front et sur celui de Fred.

— Salut mes grenouilles, dit-il de sa voix un peu trop grave pour que le mot « grenouille » ne sonne pas bizarre…

Non loin, Xavier, qui porte aussi des gants, tire sur les lacets avec ses dents.

— Hé ! Ta main est blessée ! Tu vas l'empirer ! dis-je avant de pouvoir me retenir.

Sérieusement, je devrais le laisser faire. Il ne mérite pas mes avertissements.

— La blessure est à l'intérieur de la paume et un vrai boxeur ne s'en fait pas avec de petites égratignures.

— Cinq points de suture, j'appelle pas ça une égratignure, dis-je en grimaçant. Et comment ça se fait que tu ne peux pas jouer au hockey ?

Aha ! Je l'ai eu ! Il regarde ailleurs !

— C'est mon *coach* qui ne veut pas avoir la responsabilité d'une blessure qui empirerait…

— C'est ça… c'est ça…Tssss ! Papa, t'as d'autres gants ? Je veux boxer, moi aussi !

*Voyons, Laura ! Tu veux lui parler ! Pas le frapper ! Il est pas mal plus costaud que toi…*

Mais Fred se met à pleurer, et Martine, le panier à linge sur la hanche, sort de la salle de bains qui sert aussi de buanderie.

— Monte avec moi, Laura, je vais faire manger la petite. Je vais te prêter mes gants. Tu pourras redescendre et leur montrer de quoi les femmes sont capables, dit-elle avec un clin d'œil.

— Je te suis !

Décidément, cette Martine, je l'aime de plus en plus…

Quelques minutes plus tard, j'ai les gants de boxe de Martine aux mains et franchement, je ne suis plus du tout certaine que c'était une bonne idée.

– Alors, St-Amour ! Tu veux te battre ?

Xavier est si grand que je lui arrive au menton. Je soupire en faisant mine d'être exaspérée (alors qu'en réalité, j'ai peur à en faire pipi dans mes culottes !).

– Ben non, ça ne serait pas juste, dis-je.

Ouais… nous avons tous les deux compris que ça ne serait pas juste pour… euh… moi…

– Bonne décision !

Il cogne ses poings l'un contre l'autre et se met à battre le gros sac comme si ce dernier l'avait attaqué. Mon père donne ses instructions à Xavier. « Plus haut, non plus bas, plie les genoux, pas trop, gauche, droite… Bravo, c'est bien ! Wow ! T'as une droite d'enfer ! *Go go go !* »

Ça y est, j'ai un motton dans la gorge. Mon père a enfin trouvé le fils qu'il n'a jamais eu, c'est clair. Il ne semble pas avoir remarqué que moi aussi, je suis prête à boxer.

– Euh… je fais quoi avec ça ? dis-je en levant mes poings gantés.

Xavier et mon père me dévisagent comme si je venais de descendre d'une autre planète. Puis, papa me fait signe d'approcher.

— Xavier, tiens le sac de boxe solidement, s'il te plaît.

Et comme j'aurais pu m'y attendre, le tarla se met à rire.

— Avec la force que la « grenouille » va y mettre, j'ai pas besoin de tenir quoi que ce soit, nargue-t-il.

— Ah ouais ?

— Ouais ! rétorque-t-il.

— Tiens le sac ! dis-je avec assurance.

Gonflée à bloc par l'orgueil, je me mets à frapper de toutes mes forces.

*Bouing ! Bouing ! Bouing !*

Zut, je ne suis pas en super forme, je vais m'essouffler rapidement. Il faut que je contrôle mon souffle !

*Bouing ! Bouing !*

Arfff ! Ça ne fait pas le même bruit que les gars. J'ai les épaules qui brûlent… et mes mains, mes pauvres doigts… À quoi servent les gros gants si on a mal aux mains quand même ?

*Bouing ! Bouing !*

— Allez, plus fort que ça ! m'encourage mon père.

— Salut, *man*! dit Xavier à une personne qui vient d'entrer par la porte qui mène au garage.

C'est un des amis de Xavier. Sûrement Corentin. Mon honneur (et mon orgueil) est en jeu! Je dois y aller avec plus d'énergie, de force et d'agilité! Et, pourquoi pas, avec un brin de kick-boxing (j'ai vu des filles en faire sur YouTube, c'était très inspirant!)? J'y vais donc de plusieurs coups avec mes poings, puis je lève la jambe pour simuler un *kick* comme sur la vidéo, mais je perds l'équilibre et mon pied n'atteint pas le sac. Il se heurte plutôt à quelque chose qui se tenait à côté du sac… Puis, j'entends: « Aïeeeeeeeee! Mes couilles! »

C'est… la voix… de…

— Samuel? Mais qu'est-ce que tu fais là? Je suis désolée! Ooooh, mon Dieu! Je ne voulais pas te frapper! Es-tu correct? Ooooh, mon Dieu! Ooooh, mon Dieu!

— Oui, ça va…

La réponse forcée de Samuel ne me convainc pas. Il grimace, il est rouge comme une tomate. Je ne l'ai vraiment pas manqué!

Derrière le gros sac, Xavier rigole. Ah! Lui, je le déteste à la folie!

— C'est pas drôle! dis-je en le poussant.

Mon père saisit Samuel par les aisselles pour l'aider à se relever (il était tombé au sol, j'ai dû frapper fort!).

– C'est un K.O. par abandon, ricane encore Xavier.

– T'es tellement cave, Xavier Masson! Rire de ses amis quand ils sont blessés, c'est vraiment pas *cool*. Et c'est pas un K.O., je ne l'ai pas blessé à la tête, juste… euh… là où ça fait mal…

– Façon de parler! Et c'est pas moi qui viens de donner un coup de pied dans les parties intimes de mon ex-chum!

– Ton ex-chum? demande mon père en arquant les sourcils.

– Longue histoire, papa…

*Ah non, je n'ai aucune envie de commencer à expliquer ma vie AMOUREUSE à mon père!*

Et je n'ai jamais pensé à Samuel comme étant mon « ex-quoi-que-ce-soit ». Encore une fois, je viens de gaffer. Correction : je viens de SUPER-gaffer.

Samuel nous tourne maintenant le dos, penché, paumes sur les genoux, tentant de reprendre ses esprits. Mon père le regarde, les mains sur les hanches. Il a dû voir bien pire dans l'armée, il ne semble pas perturbé par la douleur de ma « victime ». Je m'en approche en hésitant, plaçant une main toujours recouverte de ce ridicule gant gonflé sur son épaule.

– Je m'excuse, Samuel. Je ne savais pas que tu étais là.

– J'ai dit : ça va ! Lâche-moi un peu, Laura. J'ai juste besoin de quelques minutes.

Ouille, là, je suis vexée. À l'aide de mes dents, je tire sur les lacets de mes énormes gants. Impatiente de libérer mes mains, je les frappe l'une contre l'autre. Mon père vient à ma rescousse. Il n'insiste pas pour en savoir davantage au sujet de Samuel et je lui en suis très reconnaissante. À voir comme il me regarde avec compassion, papa semble même avoir compris que je ne souhaite qu'une chose : déguerpir au plus vite.

Voilà pour ma tentative de faire la paix avec Xavier. J'ai même oublié de lui parler de s'entendre sur un horaire.

Voilà pour l'évolution de ma relation avec Samuel. Je l'ai même mis au plancher !

*Voilà de chez voilà.*

Comment être surprise ? Je ne fais jamais rien de correct.

# Chapitre 19

## Une tempête dans un verre d'eau

De notre chambre dans la résidence des Cœur-de-Lion, j'entends une porte claquer. Curieuse, je laisse en plan mes livres de mathématiques pour aller voir ce qui se passe dans le corridor. Est-ce que c'est Corentin qui est frustré par quelque chose? La meilleure façon de le découvrir, c'est d'aller lui parler.

– Toc, toc, toc! dis-je en poussant la porte déjà entrouverte de la chambre de Corentin. C'est toi qui as fait ce vacarme?

Mon ami est couché dans son lit, les bras croisés derrière sa tête, ses écouteurs sur les oreilles. J'ai le plaisir de voir qu'il a préservé le grand ménage que j'ai fait. La pièce est propre comme un sou neuf. Il ne m'entend pas, il est totalement concentré sur son iPhone. Je m'approche sur la pointe des pieds. Je suis curieuse, je l'admets volontiers. Lorsque j'arrive à voir son écran, mon cœur s'arrête. C'est Lucien dans une performance d'une émission de télé. Constatant ma présence, Corentin sursaute et colle son iPhone contre sa poitrine comme un enfant pris en faute.

– Tu m'as fait peur! grogne-t-il en ôtant ses écouteurs.

— J'ai dit « toc, toc, toc » et ta porte était pas fermée ! J'ai vu Lucien, sur ton iPhone. Je peux voir encore, s'il te plaît ?

Je m'assois à ses côtés sur le lit, il se pousse et me tend l'appareil.

— Il y a des dizaines de vidéos sur YouTube, tu peux t'en donner à cœur joie !

— Non, je veux seulement en voir une, juste pour être sûre qu'il va bien…

— Ouais, ouais, c'est ça, dit Corentin d'un ton sarcastique. Je vais me chercher un sandwich, t'en veux un ?

— Non… merci… dis-je, le regard rivé sur la vidéo.

Lucien semble en forme, il crève l'écran. C'est le plus beau des cinq membres de Full Power. À mon avis, du moins. Le voilà qui chante au même micro que Harry Stone, ils se poussent mutuellement comme des gamins tout en chantant. Lucien doit avoir quelque chose qui le dérange, il tire sur le lobe de son oreille en regardant droit vers la lentille de la caméra. C'est bizarre.

Les filles dans la salle (oh, Seigneur !) crient et pleurent. C'est un studio de télévision, elles peuvent voir les artistes de près. Une vague de jalousie, de tristesse et de frustration me submerge et je jette l'iPhone sur le couvre-lit comme s'il était brûlant. J'en ai assez vu. Je n'aurais pas dû céder à ma curiosité, ces images vont me hanter pendant des semaines.

Lucien brille, s'accomplit, fait rêver des millions de filles. Je devrais être heureuse pour lui, folle de joie, même! Ce que je ressens en cet instant n'a rien à voir avec le bonheur que je devrais lui souhaiter. Et, comme je suis une fille «trop gentille» (c'est ce qu'on me dit souvent!), je me sens coupable d'être exaspérée du succès de mon ex-petit ami.

Ce mot, «ex-petit-ami», me déprime au plus haut point. Puis, je me dis: wô, Marie-Douce Brisson-Bissonnette! Ça fait à peine deux semaines qu'il t'a dit qu'il t'aimait et il ne l'a pas démenti depuis…

## SAUF DANS UNE ENTREVUE POUR UN JOURNAL À POTINS DIFFUSÉ MONDIALEMENT!

On m'a souvent dit de ne jamais croire les journaux à sensation… mais c'est plus facile à dire qu'à faire. À cette pensée, un flash me revient et mon cœur s'arrête pour ensuite s'affoler comme s'il allait me sortir par la gorge. Une conversation que j'ai eue avec Lucien, peu de temps avant de découvrir cette entrevue où il disait être célibataire, me revient.

Je ne me souviens pas de ses mots exacts, mais c'était quelque chose comme : *J'ai répondu en abruti à* Vedette Monde… *Je ne sais même plus ce que j'ai dit !* C'était relié au fait qu'il attendait mes messages sur Skype. Il avait ri de moi parce que je ne savais pas comment utiliser l'application, il m'avait dit avoir été impatient de recevoir une réponse de ma part. C'était dans la même conversation où il m'a demandé d'être sa blonde. Il avait donc dit n'avoir pas de blonde AVANT de me le demander et l'article est paru quelques jours après !

Donc, techniquement, au moment de répondre aux questions du journaliste ; il n'avait pas de blonde pour de vrai. Il n'a donc pas menti !

Ensuite, lorsque Constance m'a (si gentiment !) montré l'article où Lucien affirmait être célibataire, je n'ai pas fait le lien avec notre conversation précédente.

*Oh, mon Dieu !*

*Toute cette histoire n'est qu'une tempête dans un verre d'eau.*

Et qu'est-ce que j'ai fait peu de temps après ? J'ai noyé mon iPhone… j'ai tué Skype, notre voie de communication privilégiée !

Puis, une autre voix (celle de la raison, peut-être?) me rappelle (pour la millième fois) que, s'il avait vraiment voulu me contacter, il aurait pu le faire de plusieurs autres façons.

Je m'étourdis moi-même avec toutes ces pensées contradictoires. J'ai besoin d'aller dans le placard d'urgence, d'être seule dans le noir et de fermer les yeux.

Je compose le code, j'ouvre la porte de la petite pièce sans fenêtres et je la referme rapidement derrière moi pour me retrouver dans le noir complet. Je me laisse tomber sur les coussins, mais quelque chose de tiède, et de franchement anormal, me cause la peur de ma vie.

Surtout lorsque la chose non identifiée se met à crier en même temps que moi.

— Ahhhhhh! *Ouuuuuch!*
— Ahhhhhhhhh!

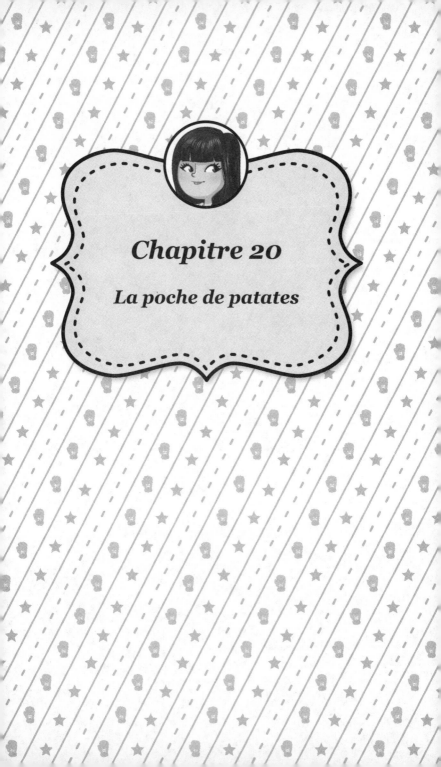

# Chapitre 20

## La poche de patates

J'ai claqué la porte du placard très fort pourtant! Comment est-il possible que Marie-Douce ne m'ait pas entendue? J'ai fait exprès, en plus. Après la scène horrible avec Samuel, j'avais une envie irrépressible de me cacher dans le noir, mais en même temps, j'avais besoin que ma sœur vienne à ma rescousse, qu'elle me dise que tout allait bien aller... Au lieu de cela, je l'ai entendue cogner à la chambre de Corentin. Elle aurait dû sortir de la chambre rapidement, mais nooon, il a fallu qu'elle y reste de très longues minutes. Pendant ce temps, moi, je croupissais seule dans le noir.

Seule.

Au bord des larmes.

Puis, tout à coup, un corps venu de nulle part se jette sur moi, littéralement!

– Ahhhhhh! *Ouuuuuch!*

– Ahhhhhhhhh!

Ma sœur (qui d'autre ça pourrait être?) écrabouille mes épaules, ma poitrine, ma jambe droite et ma tête. Elle est si gracieuse, d'habitude, elle semble toujours voler au-dessus du plancher... mais là, c'est une poche de patates qui se laisse tomber sur ma personne!

– Laura? Qu'est-ce que tu fais là?

Ce disant, elle se redresse pour s'asseoir à mes côtés. Nous sommes toujours dans l'obscurité la plus totale.

– Ça fait des heures que je t'attends ! J'ai claqué la porte, tu m'as pas entendue ?

– Comment voulais-tu que je devine que c'était toi et que tu m'attendais ? Et puis d'abord, ça ne fait pas « des heures », mais seulement une dizaine de minutes. Pourquoi t'es pas simplement venue me dire que t'étais là ?

– Parce que… je ne sais pas… je suis tellement conne… Oh, Marie-Douce, il m'est arrivé quelque chose de terrribbbbleee !

Je lui raconte ma tentative de faire la dure à cuire devant Xavier-le-tarla et mon père. Mon *kick* accidentel entre les jambes de Samuel et mon humiliation lorsque j'ai voulu l'aider.

– Il ma rejetééée !

Marie-Douce frotte mon dos doucement, me répétant les mots que j'avais tant besoin d'entendre :

– Ben non… il t'aime depuis deux ans, ça ne s'efface pas à cause d'un incident ridicule, voyons !

– PLUSIEURS incidents ridicules !

– L'amour, c'est plus fort que…

– … la police ! Je sais. On dit ça souvent, mais si c'était faux, Marie-Douce ? Si l'amour, ça pouvait mourir parce que la fille est trop niaiseuse pour que le gars continue de l'aimer ? Han ?

Ma sœur pousse un long et lourd soupir.

– Eh bien, si c'est vrai, alors il y a une autre niaiseuse dans cette pièce, dit-elle. Encore pire que toi.

Même si je ne la vois pas à cause de la noirceur, je me tourne vers elle.

– As-tu besoin que je te frotte le dos pour t'aider à me raconter ce qui te tracasse ?

– Ouiiiii, gémit-elle.

À mon tour, je console ma sœur dans le noir alors qu'elle me confie ce qu'elle pense avoir découvert au sujet de Lucien. Il l'aurait donc avertie avant que l'entrevue soit publiée qu'il avait dit n'importe quoi au journaliste ? Il attendait ses messages désespérément lorsqu'il a répondu qu'il n'avait pas de blonde ? Il lui a demandé d'être sa blonde APRÈS l'entrevue ? Wow… J'étais si prise dans mes histoires avec Samuel que je ne me souviens plus si Marie-Douce m'avait raconté cette conversation, mais ceci est giga-méga-important ! Ça change TOUT !

Je tâte mes poches pour trouver mon iPod en priant pour que sa batterie ne soit pas à 0 %. Il faut absolument écrire à Lucien ! Comment il a dit déjà,

Corentin ? Azrael avec des chiffres… zut, c'était quoi ?

– Ah voilà !

Mon appareil éclaire la pénombre de son écran lumineux. J'ouvre Skype sans hésiter.

– C'était quoi son pseudonyme sur Skype ? Azrael quoi ?

– Comment sais-tu que c'est Azrael ? demande ma sœur.

*Oupsss… me voilà prise la main dans le sac.*

– Ben… Euh… Tu me l'avais dit voyons. Il me semble qu'il y avait des chiffres…

Marie-Douce demeure immobile de longues secondes, puis expire une longue bouffée d'air.

– Pas besoin de trouver le compte de Lucien, je connais mon mot de passe, finit-elle par avouer d'une seule traite.

Elle a parlé si vite et avec tant de nervosité qu'on aurait dit que ça lui faisait mal aux dents de prononcer les mots.

– Tu l'as ? Pourquoi tu ne me l'as pas dit avant ? T'avais trop peur, c'est ça, han ? Ohhhhh ! On va pouvoir ouvrir ton Skype et savoir ENFIN s'il a communiqué avec toi !

# Chapitre 21

*Uhhhuuhhhaaaahhhhauuuu!*

Je pense que je vais être malade. Mon sang palpite si fort dans mes tempes que j'ai l'impression que ma tête va exploser. La bonne nouvelle, c'est que je ne sens plus cette douleur au crâne que j'avais en entrant dans le placard. Le petit remède miracle qui a eu raison de mon mal de tête a un nom, il s'appelle « espoir ».

L'espoir que Lucien ne m'ait pas oubliée, qu'il m'aime encore, qu'il attende de mes nouvelles. La lumière bleue de l'écran illumine le visage de Laura. Elle semble avoir oublié ses propres soucis au profit de mes déboires. Elle attend que je lui révèle le mot de passe. Je ravale ma salive.

– L U C I E N

– T'es sérieuse ? C'est juste ça ? demande-t-elle, amusée.

– C'est lui qui l'a créé…

Laura est vite sur le pitonnage. Je retiens mon souffle pendant que l'application turquoise semble travailler fort pour s'ouvrir. Paniquée, je ferme les yeux, serrant mes paupières. Ça y est, je vais vraiment vomir. Ça ou mon cœur va sortir de ma poitrine.

*Je ne veux plus savoir…*

– Arrête tout, Laura ! Laissons faire ça ! Je ne peux pas… je vais mourir !

J'étends le bras pour saisir l'appareil, mais Laura est plus vive (cette fois-ci !) et évite ma main en se retournant. Elle protège l'iPod comme s'il s'agissait de sa propre vie ! Je m'enfonce dans les coussins, les deux mains sur mon visage en me tortillant et en émettant des cris de panique.

— Uhhhuuhhhaaaahhhhauuuu ! Uhhhuuhhhaaa-ahhhhauuuu !

— Arrête de faire la conne. Bon, voilà ! Je l'ai. *Oh my God*, Marie-Douce !

Je m'immobilise en écartant deux doigts de mon visage pour ouvrir un œil.

— Il m'a écrit ?

— Ouiiiiiiiiii ! Viens voir !

Je me redresse alors qu'elle me tend l'appareil.

**Azrael66611**

Salut, Marie, j'ai vu l'article sur *Vedette Monde* et je tiens à te dire que ce n'est PAS VRAI. J'ai répondu sans réfléchir, j'étais déconcentré. Je veux que tu saches que tu étais déjà dans mon cœur. En même temps, je suis soulagé, je sais que tu as du mal avec la célébrité. Après ta photo virale, tu avais trouvé cela bien difficile. Inconsciemment, j'ai dû vouloir te protéger de tout cela. Mais peu importe. Je tiens à te redire que je t'aime et que tu es ma « blonde ». Si tu veux toujours l'être, évidemment. J'espère que oui. Tellement…

Réponds-moi vite xxx

210

**Azrael66611**

Marie ? Es-tu là ? Je serai difficile à joindre pendant quelques heures. Nous allons en répétition. Les gars sont cool, mais tu me manques. xxx

**Azrael66611**

Où es-tu, Marie ? Tintin m'a dit que tu étais toujours vivante, mais j'en veux la preuve. Réponds-moi. xxx

**Azrael66611**

Nous prenons un vol de nuit, alors je ne pourrai pas te répondre avant demain. Il est déjà tard ici. Je pars de Londres pour Turin en Italie. Nous sommes invités à un gala télévisé. Tu pourras aller voir sur YouTube. Si je tire mon oreille, c'est pour te dire que je pense à toi. xxx

**Azrael66611**

Marie... j'allais m'excuser profondément de mon absence de Skype durant une journée entière, mais voilà que je suis toujours sans nouvelles de toi. Je sais que c'est difficile, cette longue séparation. Stp, ne m'oublie pas... xxx

**Azrael66611**

Voilà une semaine que je vérifie cette foutue messagerie sans arrêt. Toujours pas de nouvelles. Je ne voulais pas avoir à te dire ceci pour ne pas t'inquiéter : mon père est très engagé dans ma nouvelle carrière et me surveille comme un aigle. Il veut que je me concentre sur mon travail. Il insiste pour que je coupe les liens avec les gens de mon «passé». Marie, il parlait de toi sans le dire. Il veut éviter les «complications» dans ma vie. Ma mère m'a dit qu'elle allait le convaincre de lâcher prise, mais en attendant, je me cache pour t'écrire. Je n'ai que quelques minutes par-ci par-là pour venir voir si tu m'as répondu. Je ne suis pas libre de téléphoner. Pour être honnête, il y a des jours où je regrette d'être parti, mais mes parents ne m'auraient jamais pardonné de manquer une telle occasion. Je t'embrasse.

**Asrael66611**

C'est difficile. Les gars du groupe sont toujours aussi *cool*, j'ai de vrais potes parmi eux, mais je me sens captif. Pas juste de mon père, mais de toute cette immense machine qu'est Full Power. Malgré tout, on se serre les coudes et on vit tout de même des moments extraordinaires. Mais ma vie ne sera plus jamais la même. Partout où je vais, on me reconnaît. Les *fans* sont intenses, l'une d'elles a déchiré la manche de ma chemise. J'ai un nouveau garde du corps, il s'appelle Mike, il me suit partout. J'ai besoin de savoir que tu es là, avec moi, malgré la distance. Es-tu là, Marie? Harry te salue, en passant.

En lisant ces lignes, je passe par toute la gamme des émotions. De la surprise, à la joie la plus intense de toute ma vie, puis, à l'inquiétude, au regret, et, à cause du dernier message, à la tristesse.

Je relève mes yeux maintenant humides vers Laura. Elle pleure aussi.

– Il faut que tu lui répondes... dit-elle en reniflant.

– Oui. Mais je dois réfléchir à ce que je vais dire. Il doit m'en vouloir. Son dernier message date d'avant-hier!

— Il est sous l'emprise de son père, tu crois ? demande Laura.

Je hausse les épaules.

— Il ne m'a jamais parlé de lui. Je l'ai vu une fois, c'est un homme qui m'avait semblé froid, mais je ne m'en étais pas souciée. Lucien a toujours semblé si solide, si plein de confiance en lui… J'avais pas imaginé qu'il puisse être à ce point sous son emprise.

— On ne sait jamais ce que les gens vivent lorsque la porte de leur maison se referme. Ma mère m'a souvent dit ça. Il ne faut pas se fier aux apparences. T'as pas eu beaucoup de temps avec Lucien, il ne voulait sûrement pas t'embêter avec ses histoires de famille.

— Mais en même temps, je suis rassurée. J'ai l'impression d'être importante pour lui. Il semble vouloir se confier à moi.

Ma sœur renifle encore, les larmes jaillissent de ses yeux.

— Ohhh Laura, pleure pas, tu vas me faire pleurer !

— Trop tard, je suis trop émue par votre histoire ! Lucien est beaucoup plus gentil que je ne le pensais. T'es chanceuse !

Je ravale ma salive en épongeant mes paupières humides. Oui, Lucien, c'est mon prince !

# Chapitre 22

## Cassé, pas cassé, cassé, pas cassé...

Je dois être super honnête : j'avais mal jugé Lucien. Je ne voulais pas l'avouer, ni à moi-même, ni à Marie-Douce, mais au fond de moi, je n'ai jamais vraiment cru à sa sincérité. Il était trop imposant de sa personne, trop beau, trop confiant, trop talentueux aussi ! Je le pensais superficiel, insensible et manipulateur. J'espérais avoir tort, pour le bonheur de ma sœur. Eh bien, mon vœu s'est réalisé : Lucien Varnel-Smith n'est ni un manipulateur ni un insensible. Et il adore Marie-Douce. De plus, ils se ressemblent beaucoup plus que je ne l'aurais cru : Lucien ne semble pas aimer être le centre de l'attention. J'aurais cru que sa nouvelle célébrité lui monterait à la tête, mais ça semble être le contraire qui se produit. Marie-Douce et Lucien seraient-ils de réelles âmes sœurs ? Si c'est le cas, il faut que Corentin lâche prise.

Zuuuut ! Ne viens-je pas de l'encourager à tenir bon et à attendre que cette amourette se termine ? Ouille, j'ai peut-être gaffé… Je vais laisser les choses aller. S'il devient évident que Lucien est vraiment là pour rester, alors je me chargerai de « matcher » Corentin. J'en ferai ma… euh… j'allais dire mission, mais je me suis promis de ne plus jamais me donner de missions. J'en ferai mon DEVOIR ! Voilà ! Cher

Corentin, ta petite Laura d'amour va arranger ta vie et veiller sur ton pauvre cœur!

Je referme la porte du placard pour laisser Marie-Douce seule avec mon iPod à réfléchir à la réponse à envoyer à Lucien et me dirige tout droit vers la chambre de Corentin. Même si je me sens mal pour lui, je suis un peu (très très!) en furie! Il savait tout, c'est certain! Même s'ils agissent en chimpanzés la plupart du temps, les gars discutent tout de même. Marie-Douce avait même découvert une conversation entre Corentin et Lucien sur son ordi. Malheureusement, ma sœur n'est pas une très bonne espionne. Elle est trop discrète (trop gentille et respectueuse!). Comme d'habitude, elle n'a pas osé fouiller plus loin pour en savoir davantage. Si ç'avait été moi, j'aurais tout lu de fond en comble.

La porte de la chambre de Corentin est ouverte. J'entre sans m'annoncer et je me plante devant lui, les deux poings sur les hanches, bien décidée à lui dire ma façon de penser. Il est étendu sur son lit, ses écouteurs sur les oreilles. Il feint d'ignorer ma présence, mais je sais qu'il m'a vue.

— Pourquoi t'as pas dit à Marie-Douce que Lucien essayait de lui parler sur Skype? Han? C'est parce que tu l'aimes encore et que tu veux la garder pour toi? C'est ça? Avoue!

Sans se presser, Corentin se redresse, dépose ses pieds au sol et reste assis sur son lit. Les coudes appuyés sur ses genoux, il frotte son visage comme s'il tentait de se réveiller. Il est trop relax. Il devrait être sur la défensive, s'excuser, rougir, n'importe quoi !

— Du calme. C'est sous contrôle.

— Quoi ? Qu'est-ce qui est sous contrôle ? De quoi tu parles ?!

Il roule les yeux au plafond, visiblement exaspéré par mes questions.

— T'as pas une vie, toi ? Au fait, j'ai appris pour ton coup de pied sur Samuel. Bra-vo ! Tu l'as pas loupé, paraît-il.

— Change pas de sujet !

— J'ai parlé à Samuel, en passant... dit-il en me regardant droit dans les yeux.

Ce garçon est sadique ! Il sait qu'il va me rendre folle de curiosité et me faire oublier pourquoi je suis entrée dans sa chambre.

— Je ne veux même pas le savoir.

— Menteuse. Assois-toi.

Têtue, je croise les bras sur ma poitrine, mais en moi, c'est la tornade. Corentin tire sa chaise d'ordinateur près de lui et en tapote le siège.

— Allez, assis, m'ordonne-t-il.

Avec un soupir exagéré mêlé d'un « j'peux pas croire que je vais t'écouter ! », j'obéis.

— Bon, commence-t-il. Je ne vais pas te dire ce qu'on se confie entre potes.

— Ben là !

Il lève un index, les sourcils froncés.

— Écoute-moi, c'est tout !

— OK…

— Donc, je ne vais pas te révéler ses secrets, mais je vais te dire quoi faire. Tu vas me suivre à la lettre ?

— Pourquoi est-ce que je ferais ça ?

— Parce que tu vas finir dingue si tu ne fais pas ce que je te dis ! Est-ce que tu veux, oui ou non, sortir avec Samuel une fois pour toutes ?

— Je ne sais pas.

OK, je mens, mais Corentin m'énerve. Et puis, il y a mon orgueil, il m'en reste encore…

Mon ami regarde en l'air, comme si le plafond pouvait l'aider à comprendre les filles…

— Alors je n'ai rien de plus à te dire !

Il fait mine de se lever, mais je l'arrête de mes deux mains sur son bras.

— Non, t'en va pas. Dis-moi ce que tu voulais me dire.

— Ça ne sert à rien, tu ne veux rien entendre !

— Je suis prête. Go. Allez.

Il secoue la tête en se rassoyant.

— Voici ce que tu dois faire : rien.

— Comment ça, « rien » ?

— Attends-le, c'est tout. Laisse-le respirer.

— Mais il respire depuis plus d'une semaine, là ! Il a eu au moins 200 000 respirations depuis qu'on a cassé !

— Vous n'avez pas rompu, c'est ça que tu ne réalises pas.

Là, c'est moi qui ai besoin de respirer ! Où est ma pompe ?

— Quoi ? Mais oui… on s'est chicanés à cause de Constance… Il a cassé !

— C'est pas une dispute qui brise un couple, voyons, Laura ! A-t-il dit quelque chose qui confirme qu'il a rompu ?

— Mais… il ne me parle plus…

— Il a besoin de calme ! Il n'a pas rompu, il pense que c'est toi qui l'as fait. Et comme tu penses que c'est lui, alors, en théorie, vous êtes encore ensemble. Par contre, je dois te dire que ça ne tient plus à grand-chose. Il va falloir que tu sois prudente. Et telle que je te connais, je préfère de loin te conseiller de retenir ton souffle et de ne rien faire. Si tu n'étais pas aussi impulsive, je te dirais

peut-être autre chose, mais puisqu'on parle de toi…
c'est plus prudent.

Ahurie, confuse et presque soulagée par les
propos inattendus de mon ami, je me laisse tomber
contre le dossier de la chaise, les bras ballants. Je
suis un peu insultée par son manque de confiance
en mon jugement quand il s'agit de parler à Samuel,
mais je dois admettre que Corentin n'a pas tort.

— Et la prochaine fois qu'il te parlera, essaie
de ne pas l'attaquer, veux-tu ? Je sais que t'en es
capable, ajoute-t-il avec un petit sourire en coin.

— Alors, je dois juste « rien faire » ?

— C'est exactement ça.

— OK, ça devrait être faisable… Tu vas m'aider ?

Corentin glisse ses deux mains dans ses cheveux,
faisant mine de se les arracher tout en hochant la
tête.

Je sais que je l'énerve, mais il m'aime quand
même…

# Deux
# semaines
# plus tard

# Chapitre 23

XXXXXXXX
XXXXXXXX
XXXXXXXX
XXXXXXXX
À l'infini...

**DouceMarie144**

Allô, Lucien, je suis là… Je suis désolée de mon absence… Je comprends que tu ne pouvais pas m'appeler. C'est vraiment plate que ton père essaie de contrôler ta vie. Ne t'en fais pas, tu peux compter sur moi pour te soutenir, peu importe ce qui arrive. J'ai vu ton geste sur ton oreille sur une vidéo de YouTube, ça me touche beaucoup que tu penses à moi, même sur scène. Sache que je suis très fière de toi et que je t'aime. xxxxxxx

Voilà treize jours, douze heures, quarante-trois minutes et cinquante-six secondes que j'ai répondu à Lucien sur Skype. Je dis n'importe quoi, je n'ai pas vraiment calculé les secondes, mais je me sens comme si je l'avais fait. Chaque instant à attendre de ses nouvelles est intolérable. Je vois des photos des Full Power un peu partout, des pubs à la télé, sur internet, mais ce n'est pas pareil. J'ai besoin d'une communication personnelle avec lui pour m'assurer qu'il va bien.

Ça m'a pris des heures à réfléchir à la façon d'exprimer ce que j'avais à dire. Après tout ce qu'il m'a écrit, son désespoir, son affection pour moi, sa confiance en moi… comment lui dire que moi, je n'ai pas eu confiance en lui? Que j'en ai même jeté à l'eau mon iPhone pour m'épargner la douleur de son silence? Devais-je lui cacher la vérité et prétexter avoir perdu mon cellulaire? J'ai agi en lâche. Je mériterais qu'il m'oublie et se trouve une autre confidente, amie, amoureuse. Quelqu'un à sa hauteur, qui n'a pas peur d'exprimer ses sentiments, qui fonce vers ce qu'elle veut. Une fille forte!

Puis, une pensée inévitable me vient à l'esprit: n'est-ce pas exactement ce que j'ai décidé d'être, dorénavant? Forte…

J'ai fait de grands efforts pour m'améliorer. Ne me suis-je pas affirmée en coupant mes cheveux? D'ailleurs, à cause de mon nouveau look, j'ai eu droit à plusieurs regards curieux et à des commentaires chuchotés dans mon dos. Rares sont ceux qui sont venus m'en parler directement.

Alexandrine m'a dit que c'est parce que je suis devenue une sorte de mythe inatteignable, intouchable, dans toute l'école. «Les filles pensent que tu ne sais plus qu'elles existent», m'a-t-elle dit. C'est presque aussi bien comme ça… De toute façon, je n'ai jamais été le genre de fille qui parlait à tout le monde. Avant, je passais pour timide, maintenant, je passe pour une snob. Je suis pourtant toujours la même petite Marie-Douce qui préfère se cacher que de se mêler aux autres.

Mais ma préoccupation, pour l'instant, ce n'est pas l'opinion des filles de mon école à mon sujet. Non, ce qui hante mes pensées, c'est Lucien.

J'ai hésité avant d'écrire « Je t'aime ». J'ai aussi effacé et recommencé d'innombrables fois les xxxxxxx. Combien est-ce que ça en aurait vraiment pris pour exprimer à quel point je l'aime ? À l'infini. Depuis, je n'ai pas reçu de réponse. Mais je sais, au fond de mon cœur, que ce n'est pas parce qu'il m'a oubliée. Il doit s'être passé quelque chose. Son père n'est sûrement pas étranger à ce silence. Cela m'inquiète énormément.

Depuis ces deux dernières semaines, Laura et moi nous partageons son iPod pour suivre tout ce qu'il fait par le biais du web. Je lui ai montré mon profil clandestin sur Facebook. Elle était surprise, la tête qu'elle m'a faite valait cent dollars. « T'es une mauvaise fille, Marie-Douce Brisson-Bissonnette ! s'est-elle exclamée. Qui l'aurait cru ? »

C'est une bonne chose que Laura ait la garde de son iPod. Si je l'avais sur moi en tout temps, mon obsession reviendrait. Ainsi, le soir, nous regardons ensemble ce qui a pu sortir au sujet de Lucien durant la journée. Et nous surveillons ses gestes. Il a touché son oreille à quelques reprises, c'est rassurant.

J'étais trop inquiète ; j'ai parlé à Valentin du père de Lucien. Il m'a dit qu'il le connaissait depuis longtemps et que Jake Smith était en effet un homme très sévère, mais intelligent. Il a tenté de se faire rassurant, mais j'ai senti que Valentin faisait attention à ses paroles, comme s'il ne voulait pas être impliqué dans nos histoires.

Quand j'ai rencontré monsieur Smith (« rencontré » est un bien grand mot ; il n'avait posé qu'un regard rapide sur ma personne sans me porter plus d'attention !), il m'avait fait penser à un noble rigide qui ne sourit pas. Pour être honnête, il m'a un peu donné froid dans le dos. Il aurait pu être directeur d'une prison à sécurité maximale. Ce regard dur, ça me fait craindre pour Lucien.

Demain, c'est le fameux spectacle de danse dans lequel madame Herrera m'a enrôlée pour remplacer Maude-Anne Latreille. Nous sommes douze danseurs (lesquels danseurs et danseuses ont plusieurs répétitions d'avance sur moi !) et avons congé de cours cet après-midi pour la générale.

Aussi difficile à croire que cela puisse être, madame Herrera n'a pas semblé avoir remarqué la couleur de mes cheveux. Il faut dire que j'ai trouvé plusieurs trucs pour lui cacher ma tignasse : bonnets, bandeaux très larges, chapeaux… J'ai dû être plus ingénieuse que je ne le croyais.

Madame Herrera agite ses longs bras maigres et tape dans ses mains pour attirer notre attention. Nous sommes sur la scène de la salle de théâtre Agathe-Patry. Les lumières *flashent* de toutes parts et des tests de son nous font sursauter. Corentin est aux commandes de la grande console, secondé de monsieur Thivierge, le prof de techno.

C'est bizarre, avec eux, il y a un autre homme à la stature immense que je n'ai jamais vu de ma vie. Son visage m'est un peu familier, mais je ne saurais pas dire où je l'ai vu avant. Pourquoi est-ce que Corentin vient de me désigner du doigt ? L'inconnu vient de me viser avec son cellulaire ! Vient-il de prendre une photo ? C'est vraiment louche. Pourquoi hoche-t-il la tête avant de s'éloigner ? Encore plus curieux, le colosse fait signe à deux autres adultes, un homme et une femme qui me dévisagent aussi ! Maintenant tout près de moi, madame Herrera se racle la gorge.

– Marie-Douce… Tu as changé tes cheveux ?

– Qui sont ces gens qui me regardent ? Je pense que le grand monsieur a pris une photo de moi !

Madame Herrera me fait un sourire énigmatique. Je ne comprends rien !

– Ne t'en fais pas. C'est juste pour euh… le programme et le site web de l'école.

– Ah d'accord…

– Tu sais que j'aime bien cette nouvelle couleur et la coupe est super… reprend-elle en souriant. Nous aurons un ange coloré. Tu n'avais pas à tenter de la cacher toutes ces dernières semaines…

Rouge de honte, je regarde au sol, mes mains serrées l'une dans l'autre.

– Ah… vous aviez vu… Je suis désolée. j'ai fait ce changement de coiffure sur un coup de tête. J'ai eu peur que ça n'aille pas bien avec le costume…

– Si tu m'en avais parlé, ça t'aurait évité beaucoup d'inquiétude, dit-elle, comme si elle lisait dans mon esprit.

– Comment savez-vous que j'étais inquiète ?

– J'ai déjà eu quatorze ans, je sais qu'on s'en fait avec des riens à cet âge… J'ai une surprise pour toi, m'annonce-t-elle avant d'élever la voix pour interpeller le groupe. Venez tous dans les loges côté jardin, nous avons reçu les costumes !

Mathis Clément, un garçon en troisième secondaire, joue le rôle principal, et moi celui de l'ange. Notre chorégraphie représente l'histoire d'un garçon qui est prisonnier d'un cimetière, laissé pour mort, mais toujours « un peu » vivant. Son âme n'arrive pas à savoir où aller. Il est donc entre la vie et la mort, littéralement. L'ange (moi) est censé le guider vers le paradis, mais ils tombent amoureux. Ce synopsis sera décrit dans les programmes qui seront distribués aux spectateurs. À la fin, je dois donc m'élancer dans les bras de Mathis sans hésiter et il doit me tenir très haut, d'où je dois me cambrer et maintenir la position, ensuite, il doit me laisser glisser contre lui et m'embrasser. Nous n'avons pas répété le baiser, évidemment. Je ne sais même pas si Mathis aura le courage de le faire. J'espère qu'il se contentera de me serrer dans ses bras. Il n'est pas très attirant, pour être honnête...

Ça nous a pris des heures avant d'y arriver. Mathis est bon danseur et il est le plus costaud du groupe (d'où sa désignation pour ce rôle), mais il perdait l'équilibre, forçait jusqu'à en trembler et se trompait dans les temps. Découragé, il a même tenté de convaincre madame Herrera de modifier la chorégraphie pour quelque chose de plus facile, mais celle-ci n'en a pas démordu. Puis, mardi dernier, Mathis a finalement réussi à me soulever. Nous avons répété le mouvement des dizaines de fois. À chaque essai, le souvenir de Lucien qui avait réussi du premier coup me revenait en mémoire. Je n'avais pas réalisé à quel point mon amoureux était talentueux. Avec lui, tout était si facile. Le pauvre Mathis a dû travailler dur pour arriver au (presque) même résultat.

— Madame Herrera! Il doit y avoir une erreur! s'exclame Mathis en brandissant un costume rouge. C'est écrit le nom de Marie-Douce, mais c'est pas le costume de l'ange.

La professeure nous fait le même sourire que celui qu'elle m'a fait quelques minutes auparavant.

— Aaaaaah, tu as trouvé la surprise pour Marie-Douce, dit-elle en saisissant la robe de scène.

— J'ai un costume rouge?

— Comme c'est une chorégraphie que nous avons inventée, nous pouvons décider de faire n'importe quelle modification. Êtes-vous d'accord pour que votre spectacle s'appelle désormais L'Ange rouge? demande-t-elle à tous.

Des «oui» se font entendre de toutes parts et j'en suis soulagée. Madame Herrera lance un regard soutenu vers Corentin qui se tient en retrait. Je n'avais pas remarqué sa présence avant cet instant.

Pourquoi semble-t-il de connivence avec notre prof? Curieuse, je m'avance vers mon ami.

– T'as quelque chose à y voir?

– Peut-être un peu… dit-il, avec un clin d'œil.

Madame Herrera, qui s'est approchée de nous, dépose une main légère sur mon épaule.

– C'est Corentin qui m'en a donné l'idée, dit-elle.

– C'est vrai? Wow… merci, Corentin!

J'allais le serrer dans mes bras, mais à la toute dernière seconde avant de prendre mon élan, je me suis arrêtée. Je fais toujours très attention à ne pas trop le toucher. Il y a une barrière invisible entre nous depuis sa déclaration d'amour.

Derrière nous, dans le corridor qui longe les loges d'artistes, c'est le chaos total. Certaines filles poussent des cris de joie devant leur costume, certaines autres semblent déçues. Je peux d'ailleurs très bien comprendre nos trois flammes de l'enfer de ne pas sauter de joie à l'idée de porter un énorme morceau de styromousse rouge et jaune… *Ouch*.

– Mettez vos costumes! Hop! Je veux tout le monde en position sur la scène dans dix minutes! s'exclame madame Herrera en tapant à nouveau dans les mains. Mathis! Reste dans la loge, je dois te parler! ajoute-t-elle.

# Chapitre 24

**Attendre un OVNI**

J'ai décidé d'attendre que Marie-Douce sorte du théâtre pour retourner à la maison avec elle. C'est vendredi soir, nous avons la soirée devant nous. Je rêve de *popcorn* et d'un film de filles, écrasée dans le divan avec ma sœur, à faire les brocolis.

Il est 16 h 15, je suis assise sur le banc où Samuel et moi avions lunché ensemble, en amoureux. J'ai dans les mains mon agenda ouvert à la page où il avait dessiné un cœur et écrit :

Je suis certaine que pour les passants, je dois ressembler à un de ces personnages de films tristes qui broie du noir devant un vieil album photo. Ça fait deux looongues semaines que Corentin m'a dit de ne RIEN faire concernant Samuel. Je l'ai écouté et c'est ici que ça m'a menée. Je me sens comme une vagabonde qui erre sans but dans la vie ; il ne me manque que les vêtements sales et les souliers troués.

Voilà un des danseurs qui sort du centre culturel. C'est Mathis Clément, le partenaire de ma sœur. Marie-Douce ne devrait donc pas tarder à le suivre. J'attends une minute, puis deux... Pourquoi est-il le seul à sortir ? Où sont les autres ? Il semble très fâché, il tourne en rond en donnant des coups de pied dans le gravier !

Un homme, une espèce de colosse, tient la porte. On dirait qu'il essaie de lui faire entendre raison, mais Mathis s'époumone si fort que je doute que son interlocuteur parvienne à se faire comprendre. J'entends les cris de Mathis même si je suis à une cinquantaine de mètres. Le gaillard, quant à lui, s'exprime très calmement.

Évidemment, je suis tentée de m'approcher pour ne rien manquer. Pourquoi Mathis est-il en crise ? A-t-il été remplacé à la dernière minute ? Le force-t-on à faire quelque chose qu'il refuse ? C'est dans ces moments que j'aimerais avoir l'ouïe aussi développée que celle d'un vampire !

– Hé, Laura, qu'est-ce que tu fais à niaiser là ?

C'est Xavier sur son skateboard. Il freine et attrape sa planche d'une main si habile qu'on croirait que l'objet est une extension de son propre corps. Je détourne la tête en croisant les bras sur ma poitrine. Qu'est-ce qu'il fait là, lui ?

– J'attends un OVNI.

– Très drôle, dit-il en déposant son bolide sur roulettes au sol.

– J'attends ma s… euh… Marie-Douce. Qu'est-ce que tu veux, Xavier ?

– Tu risques d'attendre longtemps. Il paraît qu'ils en ont pour des heures, dit-il.

Zut. Marie-Douce ne m'a pas avertie de ça. Le changement d'horaire doit être en lien avec la petite crise de Mathis Clément. D'ailleurs, où est-il passé ? Triple zut, j'ai manqué la suite de son altercation avec monsieur muscles à cause de Xavier !

– Ah… Bon, alors…

– Tu veux venir au parc ? demande-t-il rapidement.

Mon cœur s'arrête. QUOI ? Aller au pppparc… là où se tient Samuel ?

– Qu'est-ce que j'irais faire là ?

Il roule les yeux.

– Je ne sais pas, moi ! Attendre Marie-Douce. C'est quoi le problème, St-Amour, as-tu peur qu'on te mange ?

– Non…

*Oui !*

– Alors, viens donc.

— Pourquoi tiens-tu à ce que je te suive ? T'as jamais voulu passer du temps avec moi.

— Faut bien que je m'occupe un peu de ma fausse sœur.

— Sérieux ?

Il éclate de rire.

— Ben non, épaisse. Ton père s'en vient me chercher dans vingt minutes, je me suis dit que tu voudrais peut-être *embarquer*.

— Aaaah ! Me semblait bien que tu ne voudrais jamais essayer de me connaître, dis-je.

En soupirant d'une façon exagérée pour bien lui faire sentir à quel point je le trouve idiot, je referme mon agenda.

— Puisque t'insistes ! finis-je par soupirer.

Juste avant que je puisse glisser mon carnet dans mon sac, Xavier me l'enlève !

— Hé ! Donne-moi ça !

Il est plus grand que moi et, évidemment, il lève l'agenda au-dessus de ma tête, l'ouvrant sans aucune gêne !

— Mais c'est pour mieux te « connaître » ! Bon, bon, bon… Voyons ce que Laura St-Amour va faire en fin de semaine !

— C'est pour l'école, espèce de cave ! J'écris pas mes affaires de congés !

Il feuillette et se permet de lire ! Je vais le tuer !!!!

– Ooooh qu'avons-nous là ? Un beau cœur ! Laura + Samuel ! C'est tellement *cuuuute* !

– Va chez le diable, Xavier Masson ! T'as pas le droit de faire ça ! C'est PERSONNEL !

– Y a rien de vraiment surprenant dans ton truc, dit-il en me lançant l'agenda directement sur la poitrine. Tu viens ?

– Non. Je reste assise ici, finalement.

Apparemment, lui tenir tête, c'est mal connaître Xavier Masson. Sans crier gare, il laisse tomber son sac, sa planche à roulettes et se place derrière moi pour glisser ses mains sous mes aisselles et me forcer à me lever !

– Je m'excuse pour l'agenda, dit-il. C'est vrai que c'était pas *cool*. Maintenant, arrête de niaiser et viens au parc.

# Chapitre 25

*Jamais sans ma sœur*

Il a fallu patienter dix bonnes minutes pour que Mathis se calme et revienne sur scène pour continuer la répétition. C'est finalement Corentin qui est sorti pour le raisonner. Je ne sais même pas pourquoi il s'est fâché. Peut-être parce qu'il pensait qu'on finirait beaucoup plus tôt? Est-ce que Mathis a reçu une mauvaise nouvelle si confidentielle que personne ne peut être au courant? C'est à n'y rien comprendre.

Maintenant qu'il est là, nous revoyons les mouvements des trois chorégraphies. Dans le premier acte, Mathis se réveille entre deux tombes, il semble perdu, assommé. Je virevolte autour de lui, tentant de l'aider. Je lui adresse de grands signes, mais il ne fait que me regarder comme s'il n'en croyait pas ses yeux. Les autres danseurs manipulent les pierres tombales, les font bouger autour de lui pour lui faire peur. Dans le deuxième acte, Mathis doit faire mine de combattre des démons. Je me bats à ses côtés, faisant tomber les danseurs vêtus de noir ayant de fausses cornes sur la tête. Dans le dernier acte, une fois les ennemis repoussés, Mathis doit se montrer victorieux et enfin me séduire. C'est très imaginatif, et tout ça, c'est le résultat d'un long remue-méninges de tout le groupe. Je suis franchement épatée de ce qu'ils ont accompli. Moi, je n'ai pas participé à la création, je ne suis là que pour remplacer Maude-Anne.

Le spectacle n'est pas constitué que de danse; il y a aussi quelques chanteurs amateurs et un comédien. Notre petite troupe a commencé à monter ce projet dès le début des classes. Je me sens un peu comme un imposteur de prendre le rôle principal à la dernière minute. Maude-Anne est d'ailleurs dans la salle cet après-midi; elle doit être déçue de ne pas pouvoir participer.

Des coulisses, je peux voir Corentin travailler à la console; il semble très fébrile. Normalement, l'utilisation de nos cellulaires n'est pas autorisée durant les cours ou les activités parascolaires, alors que lui s'en donne à cœur joie! Et monsieur Thivierge le laisse faire! Le colosse est parti, mais a été remplacé par une jeune femme dont l'accent français détonne parmi notre groupe. Madame Herrera et l'inconnue discutent en pointant la scène. Mathis, au milieu d'elles, les bras croisés, semble réticent à coopérer.

Il se passe quelque chose de louche et je dois découvrir de quoi il s'agit!

J'accroche Alexanne, l'assistante de madame Herrera, pour en savoir plus.

– Est-ce que je suis la seule à ne pas savoir ce qui se passe ?

La jeune femme secoue la tête en haussant les épaules.

– Y a rien d'anormal, voyons !

– T'es sûre ? C'est qui tous ces gens, alors ?

– Quels gens ?

– Le grand monsieur qui était là tout à l'heure et, maintenant, cette inconnue qui semble se mêler de tout.

– Oh ! Eux ? C'est juste des gens pour la sécurité, les assurances… Tu sais, si on se fait mal ou quelque chose du genre.

– T'es sûre ? Je pensais que c'était pour le programme…

– Euh… ça aussi ! Arrête de t'en faire ! dit-elle avant de faire signe aux danseurs de recommencer un mouvement.

Voilà madame Herrera qui approche.

– Marie-Douce, viens avec moi ! m'ordonne-t-elle d'un ton ferme.

*Aïe ! Qu'est-ce que j'ai fait de mal ?*

Nous passons devant Corentin qui fait un signe de tête à madame Herrera et j'aperçois, à l'entrée de la salle, ma mère qui m'attend.

— Je suis venue te chercher plus tôt que prévu, viens! dit Miranda.

— Comment ça, plus tôt que prévu? Tu ne viens jamais me chercher toi-même! C'est quoi la *joke*? Et puis, comment vont-ils répéter sans moi? J'ai le rôle principal!

— Nous avons des ajustements à faire faire aux démons. Allez, va avec ta mère! Tu es libre, profites-en.

Les deux femmes fuient mon regard.

— Viens, ma puce, ça fait longtemps qu'on n'a pas magasiné, juste toi et moi! Je t'emmène faire du *shopping*!

— Un vendredi soir? Mais je suis en sueur!

J'allais protester davantage, mais ma mère glisse son bras sous le mien et continue sur sa lancée.

— Alors passons à la maison rapidement, tu prendras une douche et hop! on ira au restaurant et faire les magasins! Profitons-en, Valentin est occupé ce soir. J'ai eu envie de gâter ma princesse…

— Mais… j'avais prévu une soirée de filles avec ma sœur…

Ma mère roule les yeux.

— Laura n'est pas ta sœur, arrête de dire ça, voyons! C'est enfantin! Et tu la vois tout le temps, alors que tu négliges ta maman…

– Mais elle sera super déçue! Pourquoi tu m'avertis pas avant de faire des projets comme ça, Miranda?

– T'es pas contente de sortir avec ta mère?

Devant son air triste (et manipulateur!) je me sens coupable. C'est vrai que nous n'avons pas souvent l'occasion de passer du temps ensemble. La dernière fois, c'était à Paris.

– Si on invite Laura, alors je suis d'accord.

Ma mère soupire d'impatience.

– Ma chouette! J'espérais t'avoir pour moi seule!

– S'il te plaît, maman. C'est vendredi soir. Je ne vais nulle part sans ma sœur.

– C'est pas ta s…

– Maman! Arrête de dire ça!

Nous arrêtons de marcher en même temps et nos regards se mesurent l'un à l'autre. C'est une bataille de volonté qui s'engage… Je ne baisserai pas les bras… ni les yeux!

– OK! Tu gagnes! concède-t-elle en levant les mains en signe de reddition. Mais la prochaine fois, c'est juste nous deux, d'accord?

– Promis! Mais jamais un vendredi soir… ni un samedi… ni le dimanche, car c'est pour faire les brocolis.

# Chapitre 26

## Presque paix

Marcher côte à côte avec Xavier Masson, c'est vraiment bizarre. Le plus surprenant, c'est que j'ai l'impression qu'il essaie d'enterrer la hache de guerre. C'est peut-être le bon moment pour lui proposer mon idée d'instaurer un horaire ? Il va certainement encore rire de moi. Ce garçon est assurément le plus imprévisible que je connaisse.

— Alors, tu vis dans trois maisons ? me demande-t-il.

— Euh… je vis chez ma mère, dans le Vieux-Vaudreuil, c'est tout.

— Mais chez ton père… et chez les Cœur-de-Lion…

— Tu y vis, chez mon père, t'as pas remarqué que j'ai pas de chambre ? Et pour les Cœur-de-Lion, c'est juste qu'ils m'ont fait de la place pour faire plaisir à Marie-Douce.

Il me jette un coup d'œil en biais.

— Je pense, en fait, que j'occupe la chambre qui t'était destinée, dit-il, un peu gêné. Elle est peinturée en mauve, c'est pas vraiment ma couleur.

Je m'arrête, troublée par cette nouvelle. Évidemment, il ne m'a jamais invitée à visiter sa chambre (MA chambre ? ? ?). Je remercie le ciel de ne l'avoir pas découvert durant une de mes colères contre Xavier. Ç'aurait mal fini ! Apprendre que mon père et Martine avaient pensé à me faire une chambre me touche infiniment. Savoir que Xavier, malgré tous ses défauts et notre difficulté à nous entendre, est orphelin et qu'il a été recueilli *in extremis* par mon père à la suite de la mort du sien ne me donne pas d'autre choix que d'accepter avec générosité qu'il prenne ma chambre. J'ai déjà ma place, chez ma mère et chez les Cœur-de-Lion... Je suis très gâtée !

— C'est correct, dis-je en haussant les épaules.

Je fais comme si c'était *no big deal*, mais pour être honnête, je suis un peu émue de lui donner ma chambre. C'est fou, cette émotion forte, juste parce que j'ai l'occasion d'être plus gentille que d'habitude. Mais je ne veux pas que Xavier s'en rende compte ! Il est trop niaiseux pour comprendre... Il est bien capable de rire de moi si mes yeux s'emplissent de larmes parce que je suis trop sensible.

— Vraiment ? demande-t-il, visiblement surpris. C'est... correct ?

Il secoue la tête. Lui aussi a cessé de marcher. Il a même lâché sa planche à roulettes quand il a entendu ma réponse.

— Oui... si j'ai à dormir chez mon père, je prendrai un matelas de camping et je dormirai avec Fred. Je ne la vois pas souvent et...

— Non… euh, je te prêterai mon lit, dit-il rapidement. Je prendrai le matelas de camping.

Bouche bée, je dévisage Xavier qui regarde ailleurs, les mains dans les poches, son skateboard qui va et vient sous son pied droit.

— T'auras pas besoin, de toute façon, j'irai dormir chez Corentin, il n'habite pas loin et j'ai un lit dans la chambre de Marie-Douce.

— Mais, si on regarde un film et qu'il est tard, t'iras pas chez les Cœur-de-Lion, c'est ridicule !

Wô ! Ça s'en vient trop intense et désorientant, cette conversation. Ma relation avec Xavier-le-tarla, ce n'est pas ça ! J'étais plus à l'aise quand on se chicanait. Là… je suis si secouée par son changement d'attitude que j'en suis anxieuse.

— Qu'est-ce qui te fait dire qu'on va regarder un film ensemble un jour ? dis-je en levant le nez. Ça arrivera pas, rêve pas en couleurs !

Je pensais me sentir soulagée d'avoir stoppé cet échange trop pacifique, mais c'est loin d'être le cas. Le regret attaque immédiatement mon estomac comme un boulet de canon.

Un muscle de sa mâchoire se serre, et ses yeux, déjà bruns, deviennent noirs. D'un mouvement de son pied, il donne une poussée à son skateboard pour s'éloigner sans dire un mot. C'est à mon tour de grincer des dents. Je regrette d'avoir agi en petite peste, mais c'est trop tard. Je dois me convaincre que c'est mieux ainsi. Ma relation avec Xavier doit rester simple : on se déteste et on s'évite.

J'atteins l'entrée du parc où les gars font leurs acrobaties de planche à roulettes. Samuel est là. Il salue Xavier d'une combinaison compliquée de poignées de mains avant de me regarder. Un sourire timide se dessine sur ses lèvres... Va-t-il venir me saluer moi aussi ? Mon cœur bat la chamade. Xavier lui dit quelques mots que je n'entends pas et Samuel reprend son élan vers une des pentes sans venir me parler.

Quelques minutes plus tard, la Jeep de mon père se range le long du trottoir. Xavier ne me regarde pas et s'installe sur la banquette arrière, me laissant la place privilégiée à l'avant, à côté de mon père.

– Laura, ta mère vient de m'appeler. Il paraît que la mère de Marie-Douce te cherche. Je vais te conduire chez les Cœur-de-Lion.

Puis, il se retourne vers Xavier.

– J'ai acheté du *popcorn* et j'ai trouvé les trois DVD de *Retour vers le futur* comme tu me l'avais demandé. On a une longue soirée de Michael J. Fox en perspective !

Je frémis. J'adore ces classiques des années 80! Xavier avait-il espéré regarder ces films avec moi? Non… c'est impossible.

# Chapitre 27

## Potins et vérités

Je dois l'admettre, Miranda Brisson-Cœur-de-Lion est bonne joueuse. Nous sommes chez Winners, après avoir fait plusieurs magasins. Sa carte de crédit doit surchauffer! Laura n'ose pas dire ce qu'elle souhaite, par crainte d'abuser de la générosité de ma mère. Alors nous avons convenu d'un subterfuge : quand Laura essaie un vêtement qui lui plaît, je le glisse en douce dans le panier et ma mère le camoufle sous les autres articles que nous avons choisis pour elle et moi. J'ai hâte de voir la tête de ma sœur lorsqu'elle verra ses nouveaux vêtements étalés sur son lit!

— Si tu peux la convaincre d'essayer des souliers plus décents que ses Converse grises, j'en serais très soulagée, me chuchote Miranda.

Je soupçonne ma mère d'avoir un malin plaisir à sournoisement faire en sorte que Laura s'habille à son goût à elle. Quand ma sœur est isolée dans une cabine d'essayage, Miranda se dépêche de lui tendre des vêtements que Laura n'aurait jamais essayés si elle avait eu la chance de choisir toute seule. À ma grande surprise, ma sœur est ouverte d'esprit et semble apprécier la plupart des suggestions de Miranda! Qui l'eût cru?

Tout ce magasinage nous a donné faim. Nous nous rendons à la Cage aux sports malgré les

grimaces de Miranda, qui préfère les mets plus…
raffinés.

— Des sushis, les filles, ça ne vous tenterait pas…

Sa voix haute n'est pas très convaincante et nous
n'avons pas besoin de nous consulter pour crier en
chœur :

— NON !

— D'accord. J'espère qu'ils ont de la salade…

— Miranda, c'est à mon tour de te faire goûter
aux bonnes choses de la vie, dit Laura à ma mère.
Ce soir, on mange des ailes de poulet et des petites
saucisses en pâte avec des pelures de patates, OK ?

— OoOoOooooh ! Laura ! Tu vas me faire mourir…
mais c'est d'accord ! déclare ma mère, les joues
roses de plaisir.

— Wow… jamais j'aurais cru que tu accepterais,
dis-je à ma mère.

Celle-ci glisse son bras délicat sous le mien, me
tirant contre elle.

— Il faut parfois vivre dangereusement !

— Merci maman, pour cette belle soirée…

— De rien, ma chouette.

Nous commandons un festin rempli de gras, de
saveurs et de couleurs : des nachos gratinés, des
ailes, et j'en passe.

— Est-ce que tu as des nouvelles de la mère de Lucien? demande soudain Laura à ma mère, entre deux bouchées de croustilles mexicaines débordantes de fromage fondu.

Ma mère ravale visiblement sa salive et cherche quoi répondre. Je plisse les paupières, soudain nerveuse. J'étais sereine et calme pour la première fois depuis des semaines. Pourquoi fallait-il que ma sœur revienne sur ce sujet? Surtout que, depuis trois jours, les journaux à potins alimentent une discorde entre les membres des Full Power. On n'entre pas dans les détails (à mon grand découragement!), mais je crains que ça concerne Lucien.

— Euh... Elle me donne des nouvelles d'elle, mais semble réticente à me parler de son fils. Son mari est toujours avec Lucien et elle s'ennuie beaucoup, raconte-t-elle.

C'est vague, comme réponse. Mon petit doigt me dit (me crie!) que Jessica en dit beaucoup plus que ça à Miranda. J'ai déjà vu (sans malheureusement pouvoir le lire) un texto de Jessica et il y avait de longs paragraphes. Les deux femmes sont des confidentes, selon ce que j'ai remarqué depuis le départ de Lucien.

Laura sort son iPod de sa poche.

— C'est *cool*, il y a le WiFi gratuit ici!

– Laura… range ça, nous sommes au restaurant, franchement! se plaint Miranda.

Mais ma mère n'a jamais impressionné Laura et celle-ci se fiche pas mal de son opinion. Elle continue à tapoter son petit écran.

– Oh! Il y a un nouvel article! Marie-Douce, regarde ça!

Elle me tend le petit appareil que je saisis avec fébrilité.

# Vedette Monde

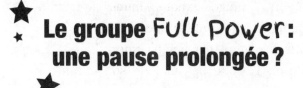

## Le groupe Full Power: une pause prolongée?

Nos sources nous indiquent qu'une discorde secoue le groupe. Harry Stone aurait laissé entendre à une personne qui souhaite garder l'anonymat que certains problèmes de santé seraient en cause dans la décision de repousser les représentations de Rome et d'Athènes, mais personne n'est dupe. Nous tenons d'une autre source que la présence constante du père de Lucien Varnel-Smith, le nouveau membre du groupe, serait dérangeante au point de causer de sérieuses difficultés. Comme Lucien est mineur, la situation est délicate, surtout que ce dernier a obtenu un succès instantané auprès des *fans* et que les Full Power l'ont adopté comme l'un des leurs.

C'est à suivre…

— Montrez-moi ça, demande Miranda d'un ton monocorde.

Lorsque Laura lui tend son iPod, ma mère fronce les sourcils et hoche la tête.

— Vous savez que ce genre de magazine publie du gros n'importe quoi, n'est-ce pas ? La preuve, pas plus tard que la semaine dernière, on annonçait le divorce de Valentin Cœur-de-Lion… et nous sommes encore aussi heureux qu'à notre lune de miel, dit-elle en souriant fièrement. Vous voyez ? Ce sont des conneries…

— Mais Lucien nous a dit que son père le suivait partout et qu'il lui avait ordonné de couper avec tous les gens de son passé ! Y compris Marie-Douce ! s'emporte Laura.

— Laura ! C'était un secret ! dis-je, mortifiée.

Miranda soupire en déposant sa fourchette lentement sur son napperon.

— Lucien a communiqué avec toi, Marie-Douce ? Pourquoi tu ne m'en as pas parlé ?

*Euh… peut-être parce que je ne te parle jamais de rien !*

— C'était il y a longtemps. Il ne m'a rien écrit depuis des semaines, dis-je en faisant de gros yeux à Laura qui se morfond de regrets sur son banc.

— J'imagine que tu l'aimes encore…

Je hoche la tête, trop émue pour parler. Ma mère dépose une main sur mon épaule. À voir les plaques roses qui se dessinent sur sa peau de blonde (comme sur la mienne, j'ai hérité ça d'elle!), je devine qu'elle est émue, elle aussi.

— C'est difficile d'aimer un artiste connu, dit-elle. Je suis bien placée pour le savoir.

— Valentin te rend la vie difficile?

— Non, pas lui comme tel, mais son métier et l'attitude des gens à son égard. Il ne mène pas une vie ordinaire, mais il est mature et habitué à gérer sa célébrité. Dans le cas de Lucien, c'est bien différent. Jake, son père, se fait beaucoup de soucis pour lui parce qu'il aime son fils.

— Il contrôle tout ce qu'il fait, marmonne Laura à qui je donne un coup de coude. Aïe! Ben quoi? C'est vrai! Il veut même te *tasser* de la vie de son fils!

— Ça doit être un malentendu, assure Miranda.

— Comment peux-tu en être si certaine? demande Laura en glissant sur le banc de vinyle pour s'éloigner de moi avant de recevoir un autre coup.

— Je ne suis sûre de rien. Le temps le dira...

— Pouah! Le temps... le temps... Et pendant ce TEMPS-là, ma sœur souffre! Si j'avais un vœu à réaliser, ce serait que Lucien quitte les Full Power, change d'identité et déménage à Vaudreuil-Dorion !

Ma sœur est bien gentille… mais rêveuse. Moi aussi, c'est ce que je souhaiterais de tout mon cœur, mais c'est comme espérer gagner à la loterie.

— Il se fait tard, dit Miranda. Avez-vous envie d'un dessert ? Moi, j'ai tellement mangé que je vais rouler ! Marie-Douce, c'est ton spectacle demain, il faut que tu sois en forme…

— Pas de dessert pour moi, dit Laura. Miranda, est-ce que je peux te demander un service ?

— Dis toujours ?

— J'aimerais que tu me déposes chez mon père, à notre retour.

— Mais il est déjà tard…

— Je sais, mais je pense qu'il sera content. Je t'expliquerai ça plus tard, ajoute ma sœur à mon intention.

— Mais…

— Plus tard, j'ai dit ! insiste-t-elle.

Quelle journée bizarre ! On dirait qu'il se passe des tas de choses invisibles pour moi, mais visibles pour les autres ! D'abord me faire sortir de la répétition du spectacle, alors qu'ils auraient clairement pu profiter de ma présence, et maintenant Laura, pleine de mystère quant à cette visite tardive chez son père…

# Chapitre 28

## Quatre paires d'yeux sur moi !

La maison de papa est bien tranquille. Par la fenêtre qui donne sur le salon, je vois que la télévision est ouverte. Si je regarde bien, verrai-je Marty McFly passer de 1985 à 1955 au volant de la fameuse DeLorean qui voyage dans le temps? Suis-je arrivée à temps pour ne pas rater la fameuse prestation de guitare électrique qui me fait tant rire chaque fois que je la vois?

Y aura-t-il de la place pour moi sur le divan?

Au pire, je vais m'asseoir sur le plancher.

Super, la porte d'entrée n'est pas verrouillée, je peux donc entrer sur la pointe des pieds. Je retire mes souliers sans faire trop de bruit et j'accroche ma veste au portemanteau. Le volume de la télévision est si élevé que personne n'a dû m'entendre entrer. Je monte les quelques marches qui mènent au salon, la pièce n'est éclairée que par le grand écran fixé au mur. Mon père et Martine sont blottis l'un contre l'autre dans la causeuse, alors que Xavier prend toute la place sur le divan, couché sur le côté, son bol de *popcorn* collé sur sa poitrine comme s'il avait peur qu'on le lui vole. Fred doit dormir depuis longtemps.

– Ahem...

Mon raclement de gorge passe inaperçu. Le trio est rivé à l'écran. C'est la scène où Marty sauve sa mère qui s'apprête à se faire frapper par une voiture. *Pas une bonne idée, ça, Marty ! C'est ton père qui était censé la sauver !*

— Aheeeem ! fais-je encore, mais avec plus de conviction.

— Laura ? Qu'est-ce que tu fais là ?

C'est là que tout le monde se retourne vers moi. Xavier attrape la télécommande pour mettre le film sur « pause ». Tout à coup, c'est le silence total et j'ai quatre paires d'yeux qui me regardent comme si j'étais une extraterrestre. La quatrième paire, elle appartient à Samuel. Il arrive du corridor, probablement de la salle de bains. C'est lui qui vient de parler.

— Euh... je... j'ai... je voulais voir *Retour vers le futur*, dis-je finalement d'une seule traite.

Xavier se redresse et pose ses pieds au sol. Il émet un rire sarcastique.

— Je pensais que tu ne voudrais « jamais » regarder de film avec moi !

*Zut, j'avais oublié les niaiseries que j'ai dites !*

— Y a juste les fous qui ne changent pas d'idée. Et puis... c'est mon film préféré de tous les temps, alors...

Ce disant, je hausse les épaules comme si j'étais très relax. Ce qui est totalement faux !

— Viens t'asseoir, Laura, m'invite Martine, toujours aussi gentille.

— Veux-tu du *popcorn* ? m'offre papa en me tendant son bol.

— Non, merci, j'ai mangé trop d'ailes de poulet… j'ai un peu mal au cœur. Je peux m'asseoir où ?

— Xavier, tu peux faire une place à Laura sur le divan ?

— Nah… répond-il. Qu'elle s'installe à terre. Pas vrai, Sam ?

— Quoi ? Euh… oui, à terre, répond Samuel.

*Comment ça, à terre ?*

Je suis vexée (encore…) ! Depuis quand n'ai-je plus le droit de m'asseoir sur un divan comme tout le monde ?

— OK… dis-je, pour ne pas paraître difficile.

Après tout, je suis une intruse… mais c'est surtout que je ne veux pas paraître chialeuse devant Samuel. C'est la première fois que je peux passer un peu de temps avec lui depuis des semaines. Misère…

C'est ça, je suis misérable… jusqu'à ce que Samuel s'assoie lui-même directement sur le sol !

— Qu'est-ce que t'attends, St-Amour ? Pourquoi tu restes plantée là ? T'es trop gênée ? s'exclame Xavier avec un sourire baveux.

– Hé ! Laisse-la tranquille ! dit Samuel.

*Mon héros…*

– Elle casse le rythme du film ! s'impatiente Xavier. Ah, et puis, arrangez-vous donc !

*Ouille ! Ouille ! Je veux disparaître sous terre…*

– Je vais y aller, je ne voulais pas déranger !

Sans écouter les protestations de Martine et de mon père, je tourne les talons et je descends les marches. Leur imposer ma présence était la pire idée du siècle. Et Samuel qui est là ! Je ne sais pas quoi lui dire ! Corentin m'a dit de ne RIEN faire ! Ça veut dire quoi, RIEN faire, quand il surgit de nulle part ?

Le temps de glisser mes pieds dans mes nouveaux souliers de cuir (que Miranda m'a convaincue de lui laisser m'acheter et qui me font déjà mal aux pieds !) et de retrouver ma veste sur la patère, le film est déjà remis en marche. Ouch, ma présence n'est pas longue à oublier ! Il est passé 22 h ! Ils se fichent que je marche toute seule en pleine nuit ?

Maintenant carrément fâchée, j'essaie de claquer la porte, mais quelque chose la retient.

– Laura…

C'est Samuel qui m'a suivie. C'est la première fois qu'il prend l'initiative de me parler depuis notre dispute. Ça fait plus de trois semaines…

# Chapitre 29

## Comme les Dalton

En arrivant à la maison, Miranda et moi étalons sur le lit de Laura les achats que nous avons faits à son insu. Il n'y a rien de plus excitant que de sortir un à un les trésors qui la rendront bouche bée de surprise ! Certes, il y a quelques morceaux de plus, comme ce chemisier blanc un peu trop formel que ma mère a ajouté dans le tas en murmurant « une belle blouse blanche peut toujours servir… ». Mais entre tous les articles, je pense que les jeans foncés qui lui allaient comme un gant seront le clou du spectacle. Ça, et le t-shirt à l'effigie des membres de U2 dans les années 80. Celui-là, je l'ai déniché dans une section que Laura n'a pas vue, et j'ai fait exprès de ne pas la lui montrer…

J'ai voulu l'étriper, au restaurant. Je ne voulais pas que ma mère sache que Lucien m'avait écrit. Il m'a clairement dit de le faire à l'insu de son père ! Si Miranda mentionne ça à Jessica Varnel, qui le dévoile à Jake Smith… Lucien perdra-t-il tout moyen de communiquer avec moi ? Une pensée horrible me vient à l'esprit. Et si c'était déjà trop tard ? Du coup, j'imagine le visage de Jake Smith se transformer en celui d'un bourreau sadique et cornu qui confisquerait sans remords ni conscience l'iPhone, l'ordi et tout autre accès à internet à mon bel amoureux ! Puis, j'imagine Lucien enchaîné avec un boulet à la cheville, comme les Dalton dans Lucky Luke!

Laura n'est pas encore revenue. Elle couchera peut-être chez son père. Je ne sais pas ce qui lui a pris de vouloir finir la soirée là-bas… elle ne m'a rien dit à ce sujet, à part qu'elle me raconterait tout plus tard. J'étais très déçue! J'ai besoin de ma sœur, présentement. Je ne peux pas parler de mes soucis au sujet de Lucien à Corentin! Je suis très consciente qu'il en sait beaucoup plus qu'il me laisse le croire, mais surtout, je sais que mon amour pour Lucien fait mal à Corentin, même s'il tâche de toujours paraître neutre. Oh, mon Dieu… j'espère que cette histoire avec Clémentine fonctionnera. Elle n'est certainement pas la seule fille de l'école à triper sur Corentin, mais il me semble qu'avec elle, notre petit groupe ne serait pas trop déstabilisé. Je ne suis pas très *fan* du changement en général… quand je vois certaines filles lui tourner autour, je serre les dents. J'ai remarqué qu'Érica St-Onge le regardait de loin très souvent. Érica a jeté son dévolu sur Samuel Desjardins alors qu'elle savait très bien que Laura (sa supposée BFF!) l'aimait.

J'ai vu Corentin parler à Érica à quelques reprises. Elle jouait avec une mèche de ses longs cheveux bruns, l'enroulant autour de son index en riant de ses blagues. J'en ai eu des sueurs froides. Est-ce que Corentin serait assez naïf pour tomber sous le charme d'une fille comme Érica ? J'espère que non…

Une petite discussion avec Corentin s'impose. Pas seulement au sujet d'Érica ou de Clémentine… Si je pouvais, en toute discrétion, lui soutirer quelques informations concernant Lucien, j'aurais peut-être un peu de réconfort. Juste le savoir en bonne santé, un peu heureux, toujours vivant… Sans boulet attaché à sa cheville !

Le corridor qui sépare nos chambres est sombre et silencieux jusqu'à ce que j'entende des voix au rez-de-chaussée. C'est ma mère qui accueille Valentin qui vient d'entrer. Ils vont sûrement discuter autour d'un verre de vin dans le salon avant de monter se coucher. Valentin dispose d'une vraie cave à vin débordant de bouteilles de toutes sortes. Je l'ai vu en offrir à mon père et à Nathalie. Ils ont bien tenté de refuser, mais Valentin a su se montrer très persuasif. C'est un bon monsieur, cet homme que je trouvais un peu froid au départ. Il est encore distant, mais je me rends compte maintenant que c'est sa personnalité. Plus je le connais, plus il entre dans la catégorie des « bons gars », comme papa. Je dirais même que Valentin Cœur-de-Lion n'est pas étranger au fait que ma mère, cette chère Miranda, soit devenue plus… comment dire… *cool*, depuis ces derniers mois. Elle ne sera jamais aussi chaleureuse et maternelle que Nathalie, mais elle s'améliore.

Aucun bruit ne transperce la porte de la chambre de Corentin. Est-ce qu'il est là? Je cogne doucement. Il est tard, mais pas si tard que ça pour un vendredi soir.

Pas de réponse.

Je cogne encore plus fort.

— Corentin…

Pas de réponse.

J'ouvre sa porte et j'entre sans allumer, comme si m'introduire en cachette était « moins pire » en restant dans le noir. Son ordinateur est là, devant moi… les petites lumières qui clignotent sur le clavier m'indiquent qu'il n'est pas fermé. Je recule dans le corridor, regardant à gauche et à droite, prêtant l'oreille à ce qui se passe en bas. Encore les voix de Miranda et de Valentin. Le champ est libre.

Sur la pointe des pieds (encore comme si ça changeait quelque chose!), je m'approche de l'ordinateur portable. Je reste debout et j'agite la souris. Wow, c'est trop facile! Mon cœur bat super vite! Oh… sa messagerie clignote!

Un petit clic sur le logo de Skype et…

**Azrael66611**
Salut Tintin… j'ai réussi à convaincre ma mère. Ce break tombe à point. Tout est OK de ton côté ?

**CocoLeClown**
Y a pas d'soucis !

L'échange date d'il y a deux jours. Il a réussi à convaincre Jessica de faire quoi ? Qu'est-ce qui devrait être OK du côté de Corentin ?

# Chapitre 30

## Intelligence
## à deux sous

Samuel est en t-shirt sur le perron, il n'a que ses chaussettes aux pieds. Le mercure s'approche du point de congélation, il va geler sur place s'il ne rentre pas très vite.

— Xavier va venir te chercher par la peau du cou si tu le fais attendre pour relancer le film, dis-je à défaut de quelque chose de plus créatif.

— J'ai déjà vu ce film cent fois, je leur ai dit de continuer sans moi. Pourquoi tu t'en vas, Laura ?

Je hausse les épaules en regardant le ciel noir, puis je lève les bras, en signe d'impuissance.

— Pourquoi pas ? Han ? J'aurais pas dû venir. Je ne savais pas que tu serais là. C'est juste que… je pensais peut-être faire la paix avec Xavier.

— Tu veux sortir avec lui, c'est ça ? demande-t-il rapidement.

Sa question brusque me laisse sans voix.

— Xavier parle souvent de toi… ajoute-t-il.

— De moi ? Il *m'haït* pour mourir, ça doit être beau à entendre !

Samuel ne me répond pas. À la place, il me dévisage sans bouger.

— Tu vas avoir froid, rentre. Je vais aller chez les Cœur-de-Lion, c'est pas loin.

— J'ai dit à ton père que je ne te laisserais pas marcher seule. Il est tard…

— Tu peux dire à mon père que je suis une grande fille…

— Laisse-moi prendre mon manteau et mes bottes, OK ?

Dès qu'il disparaît dans le vestibule, j'en profite pour m'éloigner. Heureusement, il n'y a pas encore de neige. Juste plein de feuilles mortes qui font *crouch crouch* sous mes pieds. J'aurais dû garder mes Converse. Les nouveaux souliers que Miranda a insisté pour m'offrir sont très jolis, mais me tuent les pieds. J'aurai des ampoules, c'est sûr.

*Ouch, ouch, ouch…* l'irritation derrière mes talons empire à chaque pas. *Ouch, ouch…*

— Laura ! Attends-moi donc ! Qu'est-ce que t'as ?

Quelle drôle de question de la part du garçon qui m'évite depuis trois semaines !

— Tu me demandes vraiment ça, Samuel ? Qu'est-ce que j'ai ?

— Ben oui… t'aurais pu m'attendre, je t'ai dit que j'allais marcher avec toi.

Son manque de conscience me sidère. Je devrais fuir avant de dire des conneries et empirer notre situation, mais je n'ai plus la force de ravaler ma douleur. Il faut que je dise ce que j'ai sur le cœur. Je n'en peux plus de ne RIEN faire…

— Et tu penses que tu peux décider ça et que je vais docilement attendre que « mooonsieur » m'accompagne ? Je me demande même pourquoi tu me parles ! Et en plus, je t'avise que OUI, t'as cassé avec moi ! Tu m'as dit « va-t'en » la fois qu'on s'est disputés à cause de Constance. Corentin m'a dit que tu pensais que c'était moi qui avais cassé avec toi. Eh bien NON ! J'aurais pas fait une chose pareille. Je… je…

— Tu… quoi, Laura ?

Ses deux pieds plantés sur le ciment du trottoir, il semble avoir froid. Ses épaules sont crispées, ses mains sont enfoncées dans les poches de ses jeans. J'ai envie de le serrer fort pour le réchauffer !

— Je rien pantoute !

Tournant les talons (*ouch, ouch, ouch !* mes ampoules !), je marche aussi vite que je le peux. Pour être très honnête, mon vœu le plus cher, c'est que Samuel me suive, insiste pour savoir ce que j'allais vraiment dire. Je veux qu'il panique, qu'il souffre, exactement comme moi ! Je n'ai pas réellement pensé tout ce que j'ai dit ni n'ai vraiment voulu utiliser ce ton avec lui. S'il est intelligent pour deux sous, il va deviner que si j'agis ainsi, c'est parce que je l'aime et que j'ai mal.

Malheureusement, je n'entends rien… aucun bruit de pas, aucun signe qu'il est encore là… Il faut que je regarde derrière, mais j'aurai l'air de quoi si je le fais? Zuuuuut! Pourquoi est-ce que c'est si compliqué l'amour?

# Chapitre 31

## Laura le train

Voilà enfin Laura qui arrive! Elle entre dans notre chambre et se jette à plat ventre sur son lit sans même remarquer qu'il est couvert des vêtements qu'on lui a achetés en cachette. Je suis à un cheveu de lui dire qu'elle froisse son nouveau linge quand je remarque que ses épaules sont agitées de soubresauts. Son visage est caché dans ses bras; je ne peux pas voir son expression, mais je devine facilement qu'elle sanglote.

– Laura… qu'est-ce qui s'est passé?

– Riiiii… eeeeen…

Ce disant, elle se redresse pour se laisser glisser au sol, s'assoyant sur le tapis magenta moelleux que Miranda a installé récemment entre nos deux lits.

– C'est quoi, ça? demande-t-elle en saisissant la blouse blanche qui est tombée du lit en même temps qu'elle.

Je me lève pour saisir la pile de vêtements et la déposer sur ses cuisses. Voilà qui la consolera peut-être de ce qui vient de la faire pleurer, peu importe de quoi il s'agit.

– Miranda a acheté tous les vêtements que tu aimais… Elle en a même un peu rajouté!

– Quuooouuhaaa?

Son nez coule tellement que je me dépêche de lui tendre la boîte de mouchoirs. Après s'être mouchée sans trop de délicatesse (pour ne pas dire comme un train), elle regarde à travers ses larmes chaque morceau de vêtement.

– **Merfffffiiiiiihhiii ! Est vine Þa maèèèwe !**

Que je traduis ainsi : *Merci ! Elle est fine, ta mère.*

– Tu lui diras ça demain matin *(cette fois, en articulant !)*. Maintenant, respire un bon coup, prends ton temps et raconte-moi ce qui s'est passé.

Pour permettre à ma sœur de se remettre de ses émotions et satisfaire mon envie irrésistible de plier les vêtements neufs qu'elle est en train d'abîmer sans s'en rendre compte, j'éloigne d'elle toute la pile pour la déposer (avec soin !) sur ma commode.

Elle me parle de Xavier, avec qui elle est passée à deux doigts de faire la paix. Malheureusement, à cause de son manque de confiance en elle (mon diagnostic, pas ses mots), elle n'a pas été capable de ne pas tout gâcher en lui disant que jamais elle n'écouterait de film avec lui. Après avoir regretté de l'avoir rabroué, elle m'explique que c'est la raison pour laquelle elle voulait aller chez son père.

Tout s'est très mal passé.

Samuel a voulu lui parler… et elle a répété la gaffe qu'elle venait de faire avec Xavier, quelques heures auparavant. Elle a espéré qu'il la suive, la supplie de l'écouter… mais Samuel n'est pas du genre à se mettre à genoux devant qui que ce soit.

En gros : ça va mal. J'ai quelques trucs à lui faire comprendre, à ma chère sœur, mais ce n'est pas le moment. Dans l'état où elle se trouve, ça ne servirait à rien. Avant tout, je pense que Laura a sérieusement besoin de se calmer. Je crains même que Samuel soit désintéressé pour de vrai, cette fois. Il me l'avait dit en plus. La vie avec Laura, ce n'est pas facile.

Et Corentin lui a suggéré de ne RIEN faire ? Ah ! Comme s'il fallait écouter les conseils d'un gars. Non, non, non… Si Laura St-Amour doit écouter quelqu'un, ce sera moi, et ce dès demain matin.

– Bouge pas, je reviens.

Courant à toute allure à la cuisine, je fouille dans le frigo pour dénicher quelque chose – n'importe quoi – contenant du chocolat. Ahhh voilà, c'est dans le congélateur que je trouve de la crème glacée au chocolat. Parfait. Deux bols, deux cuillères, hop ! Je remonte. Ah, j'ai oublié, ça prend des verres de lait. Je redescends, je passe à deux doigts d'échapper les deux bols, je remonte avec un plateau pour porter mon festin auquel j'ai ajouté des biscuits Oréo.

Mon périple a dû prendre de longues minutes parce que lorsque j'entre dans notre chambre, ma sœur est étendue sur le dos, les bras et les jambes en étoile, dans MON lit, toute habillée, les cheveux dans la face et la bouche ouverte. Elle dort à poings fermés en ronflant à fond de train.

Je m'installe dans son lit avec son iPod (Dieu merci, elle m'a confié son mot de passe!) et je vérifie mon compte Skype pour voir si j'ai reçu des nouvelles de *on-sait-qui*.

# Chapitre 32

## La meilleure sœur du monde

Où suis-je ? Qui suis-je ? Qu'ai-je encore fait ? À qui appartient ce lit ? Où est mon pyjama ? Ouache, ce goût dans ma bouche... Je me suis endormie sans me brosser les dents ! L'horreur ! C'est quoi ce truc qui me chatouille l'intérieur de l'oreille ?

— Réveille-toi, la belle au bois dormant... Il est déjà 10 h du matin. Gisèle t'a préparé des gaufres comme tu les aimes, avec beaucoup de crème fouettée...

— Éloigne-toi de moi ! Mon haleine te tuera !

Ma sœur éclate de rire en sortant de la chambre.

— Je t'attends en bas ! Il faut que je me prépare pour le spectacle. C'est à 15 h, n'oublie pas !

— J'arrive...

Une fois douchée, je revêts les super jeans que je ne pensais jamais avoir et la blouse blanche. Je n'aurais pas choisi celle-ci, mais ça fera plaisir à Miranda de me voir la porter, alors pourquoi pas ? J'ai encore les cheveux mouillés. Mes rallonges m'agacent un peu. Maintenant, je commence à me rappeler pourquoi j'ai toujours eu tendance à ne pas laisser mes cheveux pousser : c'est trop d'entretien ! La pire corvée, à mon avis, c'est la séance de séchage. C'est plaaaate et ça fait mal au bras à force de tenir le séchoir dans les airs. Ce matin, je n'ai pas d'énergie pour ça. J'opte donc pour une tresse sur le côté. En plus, ça me donne un style de fille pirate avec ma blouse blanche.

Je n'ai pas vraiment faim, même si mon ventre gargouille comme un chaudron de maïs soufflé. Toute nourriture risque de s'arrêter au seuil de ma gorge. Je suis trop déçue de moi-même. Je suis consciente d'être ma pire ennemie, mais je ne sais pas comment agir autrement. Je suis trop impulsive. J'ai eu l'air ridicule hier. Jamais je n'aurais dû aller chez mon père sans avertir, comme ça. J'ai pensé que... Xavier comprendrait que je lui tendais une perche pour faire la paix. Mais NON... il est beaucoup trop idiot pour comprendre quoi que ce soit! Et Samuel. Que faisait-il là? Avait-il espéré me voir? Impossible, puisqu'il avait été clair que je n'y serais pas.

— Wan wan wan wan wan wan?

J'entends la voix de Corentin, sans comprendre ce qu'il dit.

— Han? Quoi?

— J'ai dit: pourquoi tu regardes le mur?

Je secoue la tête pour me sortir de ma torpeur. Il a raison, j'étais immobile, face au mur, une main sur la rampe de bois.

— J'étais distraite. Hé! T'étais où, hier soir?

— Pas de tes oignons! répond-il en me devançant pour descendre l'escalier. Mais j'ai appris pour ta visite chez ton père. Je dois dire: bravo! Tu as vraiment le don de faire fuir les mecs. Encore heureux que moi, je te parle encore. Ce n'est peut-être qu'une question de temps? Vas-tu me dire d'aller me faire voir à moi aussi?

Les mots de Corentin m'assomment. Je sens mon sang tomber tout droit dans mes pieds, vidant ma nuque et ma gorge. Je n'ai même plus de salive à ravaler! Corentin secoue la tête et disparaît dans la salle à manger d'où les voix de Gisèle et de Miranda résonnent de gaieté. Découragée par la vérité que mon ami vient de me balancer au visage sans égard pour mon orgueil, je m'affale sur une marche, les deux mains accrochées à l'un des barreaux de la grande rampe. Je n'ai même plus de larmes à pleurer, juste un étouffement sec qui m'étrangle.

— Laura? Est-ce que tu viens manger?

Ma si gentille et douce sœur vient à mon secours. Je l'aime tellement, surtout quand j'ai mal à mon cœur. Elle tient dans ses mains une assiette de gaufres garnies de crème fouettée.

— J'ai pas faim.

Elle s'assoit à côté de moi, le plat sur ses genoux et frotte mon dos.

— Elle te va bien cette blouse. Surtout avec tes cheveux tressés comme ça. Qui eût cru que ma mère serait de bon conseil ?

— Merci…

— Laura, dit-elle, avec un ton de voix plus ferme qu'à son habitude. Je vais te dire quelque chose d'important. J'aimerais que tu m'écoutes jusqu'au bout, OK ?

Je hoche la tête, les yeux au plancher. Au point où j'en suis, autant l'écouter sagement.

— D'abord, tout n'est pas perdu. Corentin m'a dit ce que les gars lui ont raconté. Leur version, à Xavier et à Samuel, c'est que tu as agi en princesse gâtée qui pense qu'il faut la supplier pour avoir son attention.

— Mais c'est pas ça que je voulais…

*Ouille ! Ils n'ont même pas tort ! C'est vrai que j'ai agi comme ça.*

— Je sais, Laura. T'es très impulsive. Des fois, tes paroles dépassent ta pensée. Je vais te dire ce que je crois que tu devrais faire.

Je la regarde de mes yeux secs, si desséchés que j'ai l'impression que le désert du Sahara m'a attaqué la cornée.

— Vas-y…

— Tu devrais… non, tu DOIS aller les voir tous les deux et t'excuser avec sincérité.

— Mais… Xavier est un…

— Tut! Tut! Tut! J'ai pas fini! Dans le cas de Samuel, lui dire exactement comment tu te sens envers lui. Pas ta frustration ou ton impatience. Rien de plate. Juste qu'il te manque et que tu l'aimes.

— Mais… il m'a fait de la peine! Je dois lui dire à quel point je suis fâchée!

— Ça, tu l'as fait hier. Il faut trouver une autre stratégie. Si tu ne fais que lui répéter que tu es en colère, vous tournerez en rond sans arriver à vous comprendre.

Ma sœur me demande quelque chose de trop difficile. Je n'ai qu'une envie : taper du pied comme une enfant de cinq ans qui n'a pas ce qu'elle veut!

— Mais pourquoi il ne vient pas simplement me dire qu'il m'aime? Il me semble que ça serait tellement plus simple! Il aurait juste à me chuchoter à l'oreille «Je t'aime, Laura» et tout irait super bien! Je lui répondrais «moi aussi, je t'aime» et nous reprendrions notre relation où nous l'avons laissée. Je commence à sérieusement croire qu'il a arrêté de m'aimer… dis-je, avec une moue de dépit.

Ma sœur soupire sans toutefois se laisser démonter. C'est drôle à quel point Marie-Douce est sûre d'elle quand il s'agit de MES problèmes de cœur!

— Tu rêves en couleurs, l'amour c'est jamais simple, voyons! Même moi, je sais ça. Vous manquez nettement de communication. Votre histoire ne mènera à rien si vous ne vous expliquez pas! Tu souffres trop pour rester sans rien faire. Va lui parler pour en avoir le cœur net!

— Je ne sais pas trop, dis-je, je vais y penser…

— Et concernant Xavier…

Au prénom du tarla, je plaque mes mains sur mes oreilles.

— Lalalala! Je ne veux pas *dealer* avec lui tout de suite! Un monstre à la fois! Pitiééééé!

Ma sœur rit de bon cœur.

— OK, mais si tu veux que ça marche avec Samuel, tu ne penses pas que faire la paix avec son meilleur ami serait une bonne idée?

Découragée par cette sagesse que Marie-Douce possède, mais dont moi, je n'ai été dotée qu'au compte-gouttes, je renverse la tête vers l'arrière, prête à chialer comme un bébé.

— La fée de la maturité a été pingre quand elle est passée au-dessus de mon berceau, dis-je en soupirant. C'est pas de ma faute…

Marie-Douce me tapote le dos avec un sourire.

– T'en fais pas, ça s'acquiert. Y en a pour qui c'est plus long que d'autres.

Puis elle ajoute en chuchotant :

– Pense à Miranda…

C'est à mon tour de pouffer de rire. Heureuse d'enfin voir un peu de lumière au bout du tunnel, j'entoure de mes bras les épaules de ma sœur et lui applique un bec sonore sur la joue.

– Wow, c'était pour quoi, ça ? demande-t-elle.

– Juste parce que t'es la meilleure sœur du monde.

# Chapitre 33

## Une autre métamorphose !

Je danse depuis toujours. La première fois que j'ai mis les pieds dans un cours de ballet, je devais avoir quatre ans. Ma mère était acrobate dans un cirque, il était donc normal de m'introduire dans cet univers dès mon plus jeune âge. Bien qu'ayant découvert très tôt que j'étais très flexible, gracieuse et capable de prouesses, je n'avais pas la même vocation que Miranda. Elle était plus attirée par les hauteurs, comme les trapèzes et tout le tralala du monde du cirque. Moi, ça me donnait le vertige. Ma passion, c'était la danse.

C'est mon père qui m'a encouragée à aussi pratiquer les arts martiaux. Lui-même, il aurait aimé devenir ceinture noire, mais la vie l'a mené ailleurs. Il m'a toujours dit que, le jour où je serais prête à passer ce cap, il le ferait avec moi. Il a recommencé récemment à s'exercer. J'ai toujours repoussé l'idée d'obtenir cette fameuse ceinture noire parce que je n'aime pas les combats, mais en compagnie de mon père, l'expérience pourrait être intéressante.

Le karaté est pour moi un défi de taille, mais la danse, c'est une libération, une façon de chasser mon angoisse. Du moins, ça l'était jusqu'à ce que j'accepte de faire ce spectacle ! Si la fée de la maturité m'a gâtée, alors celle du calme m'a carrément oubliée ! Comment ai-je pu accepter de remplacer Maude-Anne? Le rôle féminin principal en plus! Madame Herrera m'a prise au dépourvu et j'ai répondu sans réfléchir, c'est la seule explication. Maintenant, c'est trop tard.

Biche est là pour nous maquiller. Sa présence zen m'aidera peut-être à mieux contrôler ma nervosité. Une chance que Georges est à Paris, il m'aurait stressée sans bon sens.

La salle est encore fermée au public, mais les couloirs du centre culturel pullulent de monde. Ce n'est pourtant qu'un spectacle d'école… Est-ce qu'ils se sont tous donné le mot pour être présents, même un samedi?

Arrivée à la loge, Biche me met en quarantaine en fermant la porte derrière nous.

— Je croyais que tu allais aussi maquiller les autres filles?

Elle me fait son sourire éclatant en secouant la tête.

— J'ai convaincu une collègue maquilleuse de venir pour les autres. Je vais me concentrer sur toi seule!

— Mais je ne suis pas censée occuper une des loges sans la partager!

— T'en fais pas avec les détails. C'est tout entendu avec madame Herrera. Je lui ai dit que tu étais très nerveuse et que je te traiterais aux petits oignons pour que tu puisses nous donner la performance du siècle.

J'ai dû agrandir les yeux d'effroi, parce que Biche me fait un air alarmé.

— Ooooh, je suis confuse! Je devrais mieux choisir mes mots! Pas de pression, t'es la meilleure de toute façon.

— Ça aide pas!

— Ha! Ha! Je dois me taire! Mais avant, ferme les yeux et laisse-moi faire mon travail. Tu seras sensationnelle.

Comment ça se fait que Biche soit de connivence avec madame Herrera? Je les ai présentées rapidement il y a à peine dix minutes!

Les petits frôlements de ses pinceaux à maquillage ont presque un effet relaxant. Si ce n'étaient des cris aigus provenant du couloir, je pourrais me laisser aller et simplement profiter du dorlotage de Biche. Mais les cris de filles énervées ne cessent pas. J'entends des « oh, mon Dieu » et des « shhhh », puis plus grand-chose à part les voix étouffées des filles qui semblent avoir été enfermées dans une autre loge.

— Qu'est-ce qui se passe? On dirait qu'il y a de l'agitation de l'autre côté!

Les deux mains de Biche plaquent mes épaules contre mon dossier.

– Oh non, pas si vite. Tu dois te détendre !

– Mais les filles semblent très énervées ! Je veux savoir…

– Justement, t'as dit le mot qu'il faut éviter : énervées ! Il faut que tu restes calme.

Docile, surtout parce que je sais que Biche a raison, je me recale sur ma chaise, ouvrant et serrant les poings pour tâcher d'atténuer la tension qui envahit mes membres.

– Je dois m'échauffer et m'étirer, maintenant.

– Tu ne veux pas voir le résultat final de mon œuvre ? demande Biche. Je t'ai même mis des faux cils !

Je me rue aussitôt vers le miroir. Je suis méconnaissable. On dirait l'un de ces personnages que l'on voit sur les livres d'histoires fantastiques. Mes yeux, d'ordinaire bleu « normal », paraissent illuminés. Ces faux cils semblent à la fois irréels et naturels. Biche a redessiné mes sourcils pour leur donner un arc parfait. Mes pommettes sont soulignées avec doigté, mes lèvres d'un rouge vif attirent le regard. Bref, je ressemble à un personnage fantaisiste, et c'est tout à fait ce que je dois incarner.

Avec beaucoup de fixatif, Biche coiffe mes cheveux pour les faire ressembler à ceux d'un arlequin. Des pointes rouges vont dans tous les sens. C'est mignon comme tout ! J'ai presque envie de me coiffer ainsi tous les jours.

— Tu es… magnifique ! s'exclame-t-elle. Il ne te reste qu'à enfiler ton costume ! Je te laisse te changer. Attends-moi ici, je reviens dans dix minutes.

# Chapitre 34

## Quand la sorcière parle...

Normalement, ce genre de spectacle scolaire attire seulement la famille des participants et quelques amis. Surtout qu'en plus, c'est samedi. Les jeunes ont autre chose à faire que de revenir à l'école s'asseoir dans le noir dans une salle de théâtre pour regarder un show amateur. Alors pourquoi est-ce qu'il semble que toute l'école soit présente ? Des premières secondaires jusqu'aux finissants ! C'est ahurissant. Le directeur de l'école, monsieur Tranchemontagne, semble même un peu dépassé par cette foule qui tente de s'entasser dans une salle qui ne peut pas accueillir tout le monde. Ne fallait-il pas acheter les billets à l'avance ? Plusieurs ont dû tenir pour acquis qu'on pouvait se les procurer à la porte…

Quelques filles sautillent sur place en émettant de petits cris. J'ai déjà perdu Corentin de vue. Où sont Alexandrine et Clémentine ? Nous étions censées nous asseoir ensemble. Si je vois Samuel, je fais quoi ? Viendra-t-il à cette représentation ?

– Hé ! Laura ! Laura !

Ah, me voilà soulagée ! C'est Alexandrine qui vient de me repérer. Clémentine la suit de près. Oh wow ! Elle s'est fait couper les cheveux. Presque courts, mais pas trop, très stylés. Ils sont toujours noirs, mais sans ses longues mèches, ça ne fait plus du tout « ado sombre et dépressive ». Je rêve ou elle porte un chandail bleu royal sous son manteau dont la fermeture éclair est ouverte ?

— Wow, Clémentine ! T'es SUPER belle ! Tes cheveux, ça te change c'est fou ! Et le bleu te va bien…

Alexandrine empoigne mon bras, me tirant à elle pour me parler directement à l'oreille.

— Corentin l'a vue et il a totalement changé de face. Il faut que ça marche, ces deux-là. Avec Clémentine et lui ensemble, on sera tranquilles. J'ai encore vu Érica parler à Corentin avec sa face de charmeuse poche. On doit tout faire pour contrecarrer ses plans. J'ai encore la poupée vaudou de l'autre fois, je vais lui faire un petit traitement…

— T'as raison. S'il faut qu'Érica St-Onge réapparaisse dans mon entourage, je pense que je vais me lancer en bas d'un pont.

— Et il arrive quoi avec Samuel ? demande-t-elle.

Alex n'est pas à jour dans les mésaventures qui jalonnent mon existence. Ai-je envie de raconter ma triste histoire de fille trop impulsive, immature et maladroite ? Noooon…

— Je le cherche, justement. J'ai décidé de lui parler franchement.

Mon amie agrandit les yeux.

– Ah oui ? Mais ça contrevient à ce que dit le livre des *Règles* ! Tu m'as promis de le lire avec attention ! T'as dû sauter quelques pages… Il faut que LUI vienne te parler ! Tu ne peux pas faire çaaaa !

Je roule les yeux. Ce livre, autant que le conseil de Corentin (qui consistait à ne RIEN faire), n'a eu pour résultat que de me rendre misérable.

– Ben, de la schnoutte avec le livre. Je pense que j'ai exagéré avec Samuel. J'ai trop laissé les choses aller, je l'ai trop repoussé…

– Oui, mais… le livre dit que…

– Shhh avec les mautadines de règles. Je dois agir comme je le sens. J'ai fait gaffe par-dessus gaffe. Si je ne prends pas la situation en mains, il va me filer entre les doigts, et cette fois pour de bon.

Alex me dévisage un bon moment avant de saisir mes épaules et de planter son regard dans le mien. Elle me serre pas mal fort…

– Qu'est-ce que tu fais ?

– Puisque tu ne veux pas entendre la voix de la raison, je vais au moins te donner de l'énergie positive. Regarde-moi dans les yeux et ne cligne pas. Il faut qu'on se concentre l'une sur l'autre. C'est un truc que j'ai récemment appris de ma tante sorcière.

C'est ridicule, mais qu'ai-je à perdre ? J'ai besoin de mettre toutes les chances de mon côté ! Alexandrine frictionne mes épaules en me fixant de son regard de braise et moi, je ne pense qu'à Marie-Douce qui doit être hyper nerveuse, à l'heure qu'il est. J'ai du mal à me concentrer sur Alexandrine, mais je m'y efforce. Elle est capable d'être un peu troublante quand elle décide (d'essayer) d'exploiter ses talents de sorcière. Est-ce qu'elle tente de m'hypnotiser pour que je change d'idée ? Oh la la la !

— Voilà, t'es protégée. Mais il faut que tu agisses dans les prochaines heures.

— Pourquoi ? L'énergie que tu viens de me donner va s'évaporer ? dis-je en souriant.

— Te moque pas ! Sinon ça annule toute la force de ce que je viens de te transmettre, me prévient-elle. Si tu ne lui parles pas dans les quatre prochaines heures, ne le fais surtout pas sans m'aviser. Il faudra que je te ré-énergise.

*Ouf ! C'est du sérieux !*

# Chapitre 35

## Aux grands mots, les grands moyens

Le numéro de départ, c'est celui de mon petit groupe de danseurs. Après ce premier acte de danse, des tours de chant et de comédie s'entremêleront. Je déteste être nerveuse. J'en ai la nausée. Pire, je n'ai qu'une seule envie, fuir à toutes jambes pour ne plus jamais revenir. Biche a-t-elle donc deviné mon état d'âme et a-t-elle peur que je me sauve? Elle trouve toutes les raisons du monde pour me garder enfermée dans ma loge jusqu'à la dernière minute! Tous les autres participants sont déjà dans les coulisses, cachés du public, prêts à bondir. Pourquoi est-ce que moi, je dois rester derrière?

Lorsqu'enfin, Biche raccroche après l'une de ses nombreuses conversations téléphoniques, elle me fait signe que je peux sortir. Je ressens un petit soulagement. J'ai hâte d'en finir!

Dans les coulisses, tout le monde me dévisage comme si j'étais une extraterrestre. Avec raison, puisque c'est exactement ce dont j'ai l'air avec ce costume, ce maquillage et mes cheveux rouges gonflés par les soins de ma styliste personnelle.

Pour être honnête, je me doute bien que le fait d'avoir eu une loge à moi toute seule ait pu attirer l'attention et pas forcément de façon positive. Personne n'aime les divas. J'ai envie de leur crier: «C'est pas de ma faute si j'ai un traitement de faveur, je suis une captive! À l'aideeeeeeeuh!» Mais je me tais. Il vaut mieux essayer (même si c'est perdu d'avance) de passer inaperçue.

Ce qui est bien avec l'éclairage de scène, c'est qu'on ne voit pas les gens dans la salle. Celle-ci pourrait être vide, ça ne ferait pas de différence, je ne vois que des ombres sombres. Toutefois, je sais que les spectateurs sont là. Il faut que je les oublie! Voilà les filles qui s'élancent déjà sur les planches en tournoyant sur elles-mêmes, suivant la chorégraphie que nous avons tant répétée.

C'est à mon tour! Mathis Clément surgit de l'autre côté de la scène et nous nous rencontrons au centre. Dans ce numéro, l'ange se présente au héros pour l'aider dans son malheur. De la vapeur blanche est relâchée par les machines fumigènes, donnant une atmosphère lugubre. De fausses pierres tombales sont portées par trois filles qui les bougent comme s'il s'agissait d'objets menaçants. Mathis fait mine d'être perdu et méfiant, et moi, je tourne autour de lui, chassant par de grands gestes toutes les menaces qui l'entourent.

Lorsque nous revenons en coulisses, c'est Corentin qui me saisit par le bras pour m'entraîner vers ma loge. Pourquoi dois-je donc aller me cacher?

Les autres danseurs ont le loisir de regarder les autres artistes à partir des coulisses!

– Hé! Je veux voir les chanteurs!

Corentin grimace.

– Tu les as vus des centaines de fois!

– Pourquoi êtes-vous tous aussi bizarres? Biche m'a tenue cachée dans ma loge et voilà que toi, tu veux encore m'enfermer.

– Je ne veux pas t'enfermer, je veux juste… euh… que tu gardes ta concentration, dit-il en regardant autour de nous comme s'il cherchait quelque chose, ou quelqu'un.

– Je ne te crois pas! Qu'est-ce qui se passe, Corentin? Je ne bougerai pas tant que tu ne m'auras pas dit la vérité, dis-je en croisant les bras sur ma poitrine, bien déterminée à lui tenir tête.

Ce que je n'avais pas prévu, c'est que Corentin serait si entêté. Il se penche sur moi et je me retrouve sur son épaule, en poche de patates!

– Hé! Lâche-moi, espèce de niaiseux! dis-je en frappant son dos.

Je ne savais pas que Corentin était si fort. Il est imperturbable!

– Arrête de gigoter, tu vas déchirer ton costume, dit-il.

– *Go*, Corentin! *Go*, Corentin! s'exclament les élèves qui attendent en coulisses.

Ils sont tous crampés de rire. Me voilà la risée! Et tout ça pour quoi? Je ne comprends rien de ce qui se passe!

Lorsque Corentin me dépose enfin dans ma loge, juste avant qu'il ne ferme la porte, j'aperçois dans le couloir le colosse de l'autre jour. C'est qui ce monstre, et que fait-il dans les coulisses? Il n'est pas un prof ni le concierge de la place! Il porte un veston, une cravate et une oreillette noire.

Essoufflée, frustrée, je frappe Corentin de nouveau. Encore une fois, il ne bronche pas d'un seul millimètre. Il me semble qu'il n'était pas aussi solide, auparavant. A-t-il donc pris du tonus musculaire depuis les dernières semaines? Il a peut-être encore grandi, aussi… Mais ce n'est pas ça qui m'intéresse!

– C'était qui, le gorille en cravate? Hein?

Mon ami (le vilain geôlier!) hausse les épaules.

– Comment le saurais-je?

– Peut-être parce que je t'ai vu lui parler à plusieurs occasions?

– T'as rêvé. Je ne sais même pas de qui tu parles, me répond-il sans cligner les yeux.

On dirait qu'il s'efforce de ne pas sourire.

– Tu sais que je pourrais t'accuser de séquestration si tu refuses de me laisser sortir de cette pièce ?

Corentin éclate de rire.

— Je constate que mademoiselle sort les grands mots. Ben oui, c'est ça, appelle la gendarmerie !

*La gendarmerie ? Il se pense à Paris, on dirait !*

– C'est ce que je vais faire si tu ne te tasses pas de mon chemin ! Et puis, tu sembles oublier que je suis ceinture marron de karaté. Je pourrais te mettre au plancher !

Il me lance un regard de défi.

– Alors, qu'est-ce que t'attends ? Vas-y ! Depuis le temps que j'en rêve !

*Zut...*

# Chapitre 36

## Où est l'alarme
d'incendie?

Les filles se ruent pour s'accouder sur le bord de la scène. On se croirait à un show de Marie-Mai. Ma sœur vient de faire sa première apparition avec Mathis Clément. Je ne l'ai pas reconnue tout de suite ! Biche a fait d'elle un personnage fabuleux. Je suis gonflée de fierté. Marie-Douce n'a jamais été aussi éblouissante.

À l'entracte, Alexandrine saisit mon bras. Ses ongles me font mal.

— Ouch ! Qu'est-ce que t'as à t'énerver comme ça ?

Elle me dévisage comme si j'avais dit la pire connerie de l'univers.

— C'est bientôt le tour d'Hubert Giroux. Toutes les filles l'attendent avec impatience !

— Et alors ? C'est qui ça, Hubert Giroux ?

— Tout le monde sait qui est Hubert ! Sa chaîne YouTube a des milliers de vues ! C'est notre futur Martin Matte ! C'est un peu dans le genre de Norman ou Cyprien, il fait des vidéos très drôles sur YouTube, mais Hubert, en plus, il est beauuuu !

— Ah bon…

*Étais-je sur Mars ?*

— Érica St-Onge prétend en savoir plus que les autres parce qu'Hubert est le frère du chum de sa cousine, mais tu sais que c'est la dernière personne qu'il faut croire. Elle est prête à n'importe quoi pour attirer l'attention. Selon elle, il va dévoiler des choses que certaines personnes ne veulent pas qu'on sache d'elles. Et il paraît que Corentin a collaboré avec lui. Je ne sais pas si c'est vrai, mais si j'étais toi ou Marie-Douce, je serais nerveuse!

Et là me revient en mémoire un flash de Corentin qui filme Marie-Douce et qui prend beaucoup de photos de nous. Était-il vraiment de connivence avec ce Hubert Giroux tout ce temps? Nous a-t-il trahies? Va-t-on voir des scènes de notre vie privée tournées en ridicule?

Non… Corentin n'aurait pas fait une chose pareille. Puis, je me souviens de cette fois où il avait manœuvré pour me donner une leçon avec le t-shirt de Duran Duran qu'il avait prêté à Marie-Douce pour que je lui fasse une scène à l'école. Tout s'était retourné contre moi. Il faut dire que j'avais un peu provoqué la situation. Mais cette fois, je ne mérite pas de me faire ridiculiser.

J'ai le cœur qui bat fort et mes mains se mettent à trembler. Est-ce que j'ai fait quelque chose que Corentin aurait pu utiliser pour me donner une autre leçon? Je ne vois vraiment pas…

Voyons, Laura, arrête de « paranoïer »!

Puis, si je repense aux derniers jours, je réalise que c'est surtout Marie-Douce qui a été la cible de sa caméra. Est-ce possible que Corentin soit si blessé par son amour à sens unique pour ma sœur qu'il en vienne à se venger en l'exposant sur un écran, et ce devant tout le monde ? Si c'est le cas, je ne lui parlerai plus jamais ! Mais aussi… quelque chose me rassure (un peu) :

— Si c'est Érica qui a parti la rumeur, alors, c'est sûr que c'est faux, voyons ! dis-je, davantage pour me rassurer moi-même que pour convaincre mon amie.

Alexandrine me fait un petit regard en coin.

— Est-ce que tu souhaites que ce soit faux ? As-tu quelque chose que tu ne veux pas qu'on sache ?

— NON ! Mais j'ai du mal à croire que madame Herrera laisserait son spectacle devenir une plateforme qui servirait à embarrasser des élèves. Elle a plus de jugeote que ça. Enfin… je pense…

Alex regarde son cellulaire et lève un index pour me contredire.

— Laura, je ne veux pas te faire paniquer, mais je vois ici qu'Hubert a annoncé sur sa chaîne YouTube qu'il réservait toute une surprise aux élèves de la Cité-des-Jeunes !

*Han ! Alors, c'est officiel ? Il va vraiment nous ridiculiser ?*

— Excuse-moi, je dois aller aux toilettes.

*Pas aux toilettes ! Intercepter Corentin pour en avoir le cœur net ! Avertir madame Herrera ! Déclencher l'alarme d'incendie pour stopper l'avalanche avant qu'elle ne déboule sur nos têtes ! N'importe quoi pour sauver la situation !*

Alexandrine se lève pour me laisser passer, non sans saisir mon poignet.

— Regarde qui est là…

Elle pointe vers notre gauche, dans l'autre rangée de sièges. Samuel et Xavier sont assis avec Maurice Gadbois. Samuel tourne la tête vers moi ! Nos regards se croisent. Zuuuut !

— Il t'observe… ça se voit. Faut que t'ailles lui parler avant que mon traitement d'énergie s'évapore !

— Mais mon pipi… et le spectacle ? Je ne peux pas le tirer de son siège, quand même ! Il faudra que je passe par-dessus Xavier et Maurice. Je vais attendre après le *show*, dis-je finalement, d'un ton décidé.

Alexandrine roule les yeux.

— Va donc faire ton « pipi », espèce de poule mouillée…

Je fais quelque pas vers la scène pour atteindre la porte sur le côté qui mène aux coulisses, quand Alexandrine m'arrête encore.

— Euh, qu'est-ce que tu fais, Laura St-Amour ? Les toilettes ne sont pas par là.

— Ah… non ?

— T'allais pas voir Marie-Douce dans les coulisses, par hasard ? demande-t-elle, les mains sur les hanches.

— N… oui, j'allais voir si elle va bien.

*Et trouver Corentin ! Ou déclencher l'alarme ! Ou saboter l'ordinateur d'Hubert machin-truc !*

Je ne lui dois pas d'explications, mais Alexandrine est intimidante. Elle se dit sorcière et, pour être honnête, il y a des fois où j'ai envie de la croire !

— Si Hubert s'apprête à ridiculiser les élèves, il faut bien que quelqu'un avise monsieur Tranchemontagne, tu ne crois pas ?

— Il est un peu tard pour ça. Et puis, pourquoi est-ce que tu t'occuperais pas de tes « vrais » problèmes, pour une fois ?

— Et toi, des tiens ! Xavier est justement là…

Alexandrine hausse les épaules et regarde ses ongles comme s'ils étaient devenus tout à coup très importants.

— Ah lui, j'ai décidé de laisser tomber. Il est trop con. Et il paraît qu'il a une blonde.

— Ah oui, qui ça?

— Une fille de son niveau, en 4$^e$ secondaire. Il paraît qu'elle est même pas belle.

— Qui t'a dit ça?

— Dariane, répond-elle, comme si cette dernière avait la vérité infuse.

— Alors, si c'est vrai, pourquoi est-ce que sa fameuse blonde est pas assise avec lui?

— T'as raison. C'est peut-être une fausse rumeur… Oh, Laura, tu penses vraiment qu'il a pas de blonde?

— Je le pense vraiment, dis-je.

*Comment le saurais-je? Je ne suis pas la confidente du tarla!* Malgré mes doutes, je garde mon sourire confiant pour calmer mon amie.

Alexandrine me saisit les épaules d'un air solennel.

— Si jamais tu vois une fille avec Xavier, tu vas m'avertir dans la seconde, hein? Je peux compter sur toi? Quelle que soit l'heure du jour!

— Wô! Je pensais que tu avais «laissé tomber» l'idée de sortir avec Xavier-le-tarla-Masson?

— Ben… Euh… Oooh! Samuel te regarde encore. Je pense qu'il veut te parler! *Goooo!*

# Chapitre 37

## Ôtez-vous de mon chemin !

J'allais sortir de la loge, j'y étais presque. Corentin a répondu à un appel sur son cellulaire, ça l'a distrait, j'ai pu approcher de la porte… mais Biche est entrée avec un sac brun au parfum divin.

— Bruno vient de t'apporter une salade tiède aux noix de cajou, vinaigre balsamique blanc et tangerines. Gisèle a pensé que tu aurais besoin d'énergie. Allez! Mange! T'as au moins une demi-heure avant de retourner sur scène.

— Mais ça va défaire mon rouge à lèvres et j'ai même pas faim. Toi, mange-la! Je sais que t'adores ça.

— J'ai aussi la mienne… Allez! Fais-moi plaisir! Ça va te donner des forces.

— J'ai l'air malade?

— Disons que tu peux prendre quelques kilos… ça ne te ferait pas de tort.

Au regard insistant qu'elle me fait, soutenu par celui de Corentin qui croise les bras devant la porte, je me rassois lourdement. Sans ménagement, les lèvres pincées de frustration, je déchire le papier brun pour découvrir mon repas. Ça sent tellement bon que j'en salive malgré moi. Mais je n'ai pas si faim! Je suis en plein milieu d'une représentation! Pourquoi me gaver? Une chance que c'est une salade… Après trois bouchées, je suis incapable de continuer.

Corentin a disparu pendant que je mangeais. Zut! Je voulais le suivre!

— Où est passé Corentin?

— Il s'occupe de la console de son, c'est normal qu'il y retourne…

— Je vais aller avec les autres, dis-je, comme si de rien n'était.

Si j'ai l'air relax, peut-être me laissera-t-elle sortir sans broncher…

— D'accord! répond-elle à ma grande surprise. Je viens avec toi!

Aaah! Elle va me suivre…

C'était trop facile.

Nous sortons ensemble. Le corridor des coulisses n'est pas très large et nous entendons le brouhaha sourd de la salle. Les gens sont allés se dégourdir les jambes, ou ont profité de cette pause pour visiter les toilettes. Toutes les portes des loges sont ouvertes et je vois d'autres élèves fébriles. Tout semble normal. Plus personne ne me regarde bizarrement. Je peux respirer un peu.

— Alors, dit Biche, je ne sais pas pourquoi tu te faisais du souci!

— Je me le demande bien, moi aussi.

Le colosse à cravate n'est nulle part, Corentin non plus. Ce dernier a dû retourner derrière sa console, au milieu de la salle. Je monte les quelques marches qui mènent à la scène. Derrière les rideaux fermés, des étudiants en profitent pour changer le décor. On ajoute un grand écran blanc. C'est pour projeter les images qui serviront de décor au numéro d'Hubert Giroux, notre comique local qui anime une chaîne YouTube de plus en plus populaire. Il a fait une présentation sur PowerPoint très drôle concernant les profs et monsieur Tranchemontagne. Hubert est excellent, il écrit tous ses textes lui-même et nous fait rire à se rouler par terre. Il est si attendu qu'il sera le dernier numéro avant que nous, les danseurs, fermions le spectacle.

Quand j'ai vu les photos des profs qu'Hubert a mises dans son montage, j'étais éberluée. Il a réussi à croquer leurs pires instants. Il avait même une permission spéciale pour prendre des photos en classe plusieurs fois par semaine. Madame Herrera n'a pas été épargnée ! On la voit en train d'éternuer et la bouche grande ouverte lorsqu'elle essaie de nous faire comprendre un mouvement précis. Le meilleur, c'est le petit montage vidéo qu'il a fait de toutes les fois où elle a tapé dans ses mains pour nous rappeler à l'ordre.

Dariane St-Cyr chante à deux reprises. Je sais qu'en répétition, elle se trompait encore dans ses paroles. Je n'ai pas pu voir son passage lors de la première partie du spectacle, mais je le verrai plus tard, puisque c'est certain qu'Alexandrine l'aura filmée et qu'elle mettra quatorze secondes de sa performance sur Instagram.

Aha! Voilà le colosse mystérieux qui réapparaît! Il me lance un regard et saisit son cellulaire. Ah non! Ça ne se passera pas comme ça! Je dois absolument parler à cet individu! Ça fait trop de fois qu'il m'observe!

– Monsieur! Monsieur! dis-je, alors qu'il me tourne le dos pour retourner vers la porte qui mène à la salle. Excusez-moi! Laissez-moi passer! Pardon! J'aimerais vous parler!

Zut, pourquoi est-ce que tout le monde se met sur mon chemin, tout à coup? Non, mais c'est vrai! Mathis et un autre danseur viennent de se placer devant moi, comme si de rien n'était. J'ai beau leur dire de se pousser, ils m'ignorent complètement.

Puis, madame Herrera m'apostrophe et m'incite à retourner à ma loge.

# Chapitre 38

## La bonne action
## du vilain

Il ne reste que cinq minutes à l'entracte. Les gens commencent à reprendre leur place. Je suis debout dans l'allée, hésitante sur la direction à prendre, et sur ce que je dois faire. Je n'ai pas beaucoup de temps. Je pourrais aller m'assurer qu'Hubert Giroux n'a pas en sa possession des vidéos compromettantes de Marie-Douce et de moi (plus j'y pense, moins j'ai de craintes : nous n'avons rien fait qui mérite une humiliation, mais le doute persiste quand même). C'est Corentin que je ne *truste* pas. Il est très imprévisible ! Ou je pourrais aller parler à Samuel. Il faut que je m'excuse d'avoir agi de façon aussi détestable.

— Hé, St-Amour… pourquoi tu fais la statue ?

Xavier est debout devant moi. Il a son air baveux habituel.

— Je ne fais pas la statue. Qu'est-ce que tu veux ?

— Je vais faire ma B.A. de l'année pour toi ! Tu m'en devras une.

— Quoi ?

Il se penche et articule de façon exagérée comme si j'étais sourde.

— Ma boooonnneee aaaactiiiioooon.

— Ah ouin ! T'es même pas capable d'en faire, de bonnes actions !

— Je te propose un échange.

Je soupire en roulant les yeux. Que peut-il me proposer? Je n'ai TELLEMENT rien à échanger avec le tarla!

— Un échange… bon, quelle niaiserie est-ce que tu vas me sortir encore?

— Je pense que je vais changer d'idée. C'est dommage… dit-il en croisant les bras.

Il se détourne pour s'éloigner, les mains dans les poches, de sa démarche assurée si typique.

Eh zut…

— Xavier! Attends!

Mais il m'ignore. C'est volontaire, j'en mettrais ma main au feu! Il est si… arrrffff tarlaaa!

— Xavier Masson, fais pas comme si tu m'avais pas entendue! Qu'est-ce que tu voulais échanger?

Il pivote sur ses talons, un grand sourire aux lèvres. Il a une face de vainqueur fier de sa performance!

*Je peux l'assommer?*

— Nos places…

— Nos… places? Tu veux aller t'asseoir avec Alexandrine?

Il secoue la tête et cherche mon regard. Il ne rit plus!

– C'est plutôt pour que tu puisses t'asseoir avec Samuel. Moi, je m'en fiche de l'endroit où je vais être placé.

Je ravale ma salive… Du moins, le peu qu'il m'en reste.

– Il te l'a demandé? Je veux dire… c'est son idée à lui?

– Je vais m'abstenir de répondre à ça. Est-ce que tu veux ou non?

Je regarde Xavier, puis, tournant la tête, je vois que le rideau se lève. J'entends la musique qui annonce que le spectacle reprend… puis, je pose les yeux sur Samuel. Il est plongé dans la lecture du programme comme s'il s'agissait d'une intrigue fascinante.

– OK…

Xavier sourit, visiblement satisfait de son coup. Le cœur battant, je marche vers mon nouveau siège. Heureusement, c'est sur le bord de l'allée, je n'ai pas besoin de demander à Samuel ou à Maurice de se lever pour me laisser passer. Samuel me lance un air surpris, puis fronce les sourcils.

– Qu'est-ce que tu fais là? demande-t-il.

Il semble agacé. Je me retourne vers mon ancienne place, et je vois, près d'Alexandrine, Xavier qui rit tout seul. Alex me fait des yeux exorbités et agite les mains. Ses lèvres semblent dire : qu'est-ce qui se passe ?

Je suis mortifiée. C'était un piège... un mauvais tour... Samuel n'a non seulement pas demandé à m'avoir à ses côtés, mais en plus, il n'est pas content.

— Xavier voulait ma place pour jaser avec Alexandrine, dis-je, en excellente menteuse.

— Ah oui ? J'espère qu'il ne lui dira pas exactement ce qu'il pense d'elle, marmonne-t-il.

— Comment ça... qu'est-ce que tu veux dire ?

Samuel ne lâche pas le programme des yeux.

— Il la trouve conne.

*Oh, mon Dieu !*

— Écoute, Samuel, j'aimerais te parler...

Samuel ferme et plie le programme qu'il regardait encore.

— C'est trop tard, Laura. J'en ai ras le bol. Y a plus rien que tu puisses dire pour revenir en arrière. T'es trop compliquée, je ne suis plus capable et j'ai d'autres choses à faire que d'essayer de toujours comprendre ce qui se passe dans ta tête. J'ai décroché de toi. Xavier le savait... il voulait que je te le fasse comprendre une fois pour toutes. Je l'ai averti de ne pas m'obliger à te dire ça ici, mais il ne voulait rien écouter. C'est peut-être mieux comme ça, maintenant, c'est réglé.

À ces mots, mon cœur se brise en mille miettes. Ça fait tellement mal! On dirait qu'il vient de m'entrer un couteau dans les tripes!

– Ah… OK…

Dans la rangée juste devant nous, je n'avais pas remarqué qu'il y a Samantha et Constance. Elles ont tout entendu. J'ai même droit à un petit ricanement venant des deux filles.

*C'est une blague… un cauchemar… je vais me réveiller… Assommez-moi, quelqu'un!*

# Chapitre 39

## Un p'tit détour à Vaudreuil-Dorion

La sensation horrible s'empare de ma poitrine. Ce n'est pas comme une crampe ou une douleur physique. C'est davantage comme une tristesse excessive, un mal flou, que je ne pourrais pas expliquer. Je dois prendre de longues inspirations pour que ça passe. Je serai sur scène dans une vingtaine de minutes. C'est une chance, parce que j'aurais été incapable de danser dans cet état.

– Marie-Douce, ça va ? Tu es bien pâle d'un seul coup !

Ainsi, Biche a pu voir que quelque chose ne va pas. Moi qui pensais que ce n'était que dans ma tête.

– Oui, t'en fais pas… c'est sûrement le trac…

Ce que je ne mentionne pas, c'est qu'après mes deux performances, ma nervosité s'est envolée. Je suis calme maintenant, pourtant ! Alors pourquoi est-ce que j'ai du mal à respirer ? Je cherche mon air. Curieusement, le visage de Laura me vient en tête et l'inquiétude me serre la gorge.

– Ta respiration est saccadée ! Tu es asthmatique ?

– Non…

– Je crois que tu hyperventiles. Tu dois rééquilibrer ton taux de dioxyde de carbone ! Tiens ! Respire là-dedans !

Elle me tend le sac brun qui contenait ma salade et comme je ne le saisis pas assez vite à son goût, elle l'ouvre et le place sur mon visage. Je commence à être un peu étourdie et mes inspirations sont difficiles.

– C'est ça, respire lentement… Ça va faire augmenter ton niveau de gaz carbonique dans ton sang.

Le sac se gonfle et se dégonfle… puis, comme par enchantement, ma tête va mieux.

– Ça t'arrive souvent ?

– C'est la… première fois de… ma… vie !

– Je trouve que tu t'en remets bien vite. Moi, quand ça m'arrive, il me faut du temps avant de m'en remettre. Es-tu étourdie ?

– Tantôt oui, avant le sac. Encore un peu, mais c'est moins pire. Toi, ça t'est déjà arrivé ?

Biche soupire.

– Souvent, malheureusement. Je suis une abonnée du sac de papier. Ça doit être toutes ces émotions. Je vais garder le sac avec moi et me tenir tout près de la scène, tout à l'heure. Juste au cas où ça recommencerait.

Au loin, on peut entendre la foule s'esclaffer, alors que la voix d'Hubert sort des haut-parleurs.

Il parle des profs, de monsieur Tranchemontagne…
Puis, madame Herrera cogne à la porte.

— Marie-Douce, c'est à toi !

Déjà ? Il me semble que c'est rapide. Je questionne Biche du regard, mais elle hausse les épaules.

— Le temps passe vite, dit-elle en souriant.

Hubert Giroux quitte la scène sous les applaudissements. Sur l'écran, il y a une vidéo qui joue. Ce n'est pas ça qui était prévu ! Ont-ils un problème technique ? La scène est sombre, ça, c'est normal… mais la musique, ce n'est pas celle sur laquelle j'ai répété ! C'est censé être la pièce *Titanium* de David Guetta pour notre scène finale, à Mathis et à moi, mais à la place, c'est une mélodie instrumentale que je ne reconnais pas du tout.

— Nous avons fait quelques changements de dernière minute, me dit madame Herrera à l'oreille. Tu n'as qu'à faire la chorégraphie qu'on a répétée, les temps sont les mêmes, ne change rien. Concentre-toi, tu vas y arriver !

QUOI ??? On a changé la chanson et on m'avertit à la dernière seconde ? Je n'ai pas le temps de la questionner, j'aperçois la silhouette de Mathis qui s'avance déjà sur la scène. Lui, il ne semble pas perturbé du tout par ce changement important!

J'ai presque envie de faire un signe de croix. Déjà que Mathis m'a laissée tomber deux fois sur dix, lors des répétitions. Il faut que je pense positivement. Celle-ci fera partie des huit fois sur dix où il ne manque pas son coup. Madame Herrera lui a suggéré de faire des pompes et de soulever des haltères pour améliorer la force dans ses biceps. J'espère qu'il l'a écoutée! Et moi, je dois me concentrer doublement. Je ne peux pas croire qu'on m'ait fait un aussi mauvais coup. Je suis programmée comme un ordinateur pour suivre l'autre chanson. Là, je devrai improviser. Compter les temps... me concentrer à 110%.

Wow, ils y ont été fort sur le brouillard de scène! Il y en a tellement qu'on ne voit que des ombres. J'exécute les mouvements de mémoire, je tournoie, je lève une jambe, le pied pointé vers le plafond, puis l'autre, de la même façon. Mes camarades, vêtues de collants et de léotards noirs, m'entourent, imperturbables. Ils dansent sur cette nouvelle musique comme si de rien n'était!

Puis, vient le moment du fameux saut où Mathis est censé me tenir dans les airs. Je dois laisser les doutes de côté et lui faire confiance! Je le vois s'avancer vers moi dans la fumée blanche. Son costume est simple : une chemise blanche, un jeans et un masque de loup. Un masque de loup ? Ça, c'est nouveau ! Sans plus analyser son accoutrement, je cours et m'élance, les bras en l'air. Il saisit ma taille avec force et me projette dans les airs. Wow ! Mathis a dû faire ses devoirs, parce que je tiens ma position avec facilité ! La foule applaudit et siffle ! Puis, j'aperçois Mathis sur le côté de la scène, qui me regarde, les bras croisés sur sa poitrine. J'en suis si surprise que je fléchis d'un mouvement nerveux.

Si Mathis est là-bas, alors qui est-ce qui me tient ?

Le rythme de la musique s'accélère et le brouillard commence à se dissiper.

– Regarde l'écran, Marie-Douce ! s'écrie une voix provenant des coulisses.

Je me retourne pour regarder vers l'arrière-scène, là où l'écran est installé. C'est moi qui danse, seule dans mon gymnase… Je ne comprends rien ! Le public éclate en applaudissements, les filles se mettent à crier. Elles sont hystériques ! Je n'y comprends rien ! Ont-elles aperçu quelque chose que j'ai manqué ? Le colosse, ainsi que trois autres personnes que je n'avais pas vues auparavant se tiennent de chaque côté de la scène, les bras croisés, les pieds écartés, exactement comme dans les films.

– Marie…

Avec tout ce qui se passe autour de moi, toute cette agitation et le fait de me voir danser sur l'écran, je n'ai pas encore… deviné… senti… Je pense que je ne l'ai simplement pas cru…

– Marie, répète la voix.

Celui qui m'a tenue dans les airs enlève finalement son masque. Les filles se remettent à crier à tue-tête. Les colosses s'avancent pour s'assurer qu'elles se tiennent tranquilles.

– Lucien ? Lucien ? Lucien ?

Ma voix est rauque… ma respiration s'accélère, je vois Biche qui s'approche avec son sac brun, mais je lui fais signe que je vais bien. Elle sourit et recule, sa main sur le cœur, les larmes aux yeux, visiblement très émue et fière d'avoir gardé le secret. Elle m'envoie un baiser. Mes larmes jaillissent.

– Tu peux répéter mon nom autant de fois que tu le veux, dit Lucien à mon oreille.

Il est vraiment là ! Comment a-t-il fait ? Surtout : comment n'ai-je pas deviné ?

La musique s'interrompt et l'écran devient noir. On apporte un micro à Lucien qui salue le public avec un sourire d'artiste habitué aux applaudissements.

– Pour ceux qui ne me connaissent pas, je suis Lucien Varnel-Smith, membre des Full Power…

Les filles crient encore, certaines sont sur le point de s'évanouir. Lucien attend patiemment, saisissant ma main et la serrant doucement. Il me dit encore quelque chose à l'oreille, mais cette fois-ci, je ne peux pas entendre, tellement les filles sont intenses. Il lève sa main libre pour leur faire signe qu'il n'a pas fini de parler.

– J'ai fait un petit détour entre Rome et Athènes. J'ai convaincu mon agent que Vaudreuil-Dorion, c'était pas si loin.

Le public siffle et rit à tue-tête.

– Vaudreuil-Dorion, c'est mieux que Rome ! lance une voix dans l'assistance.

Resserrant son étreinte pour me tenir contre lui, Lucien dépose un baiser sur le dessus de ma tête.

– Vous avez bien raison ! répond Lucien, avec son charme habituel. J'ai composé une chanson pour mon ange rouge.

*Quoi… c'est pas vrai…*

– Vous voulez l'entendre ? demande-t-il au public sans quitter mon regard.

– Ouiiiiiiiiiiiiiiii ! répond la foule.

La musique reprend et Lucien m'entraîne vers le devant de la scène, d'où je peux mieux voir les images qui s'animent à nouveau sur l'écran. Mon visage, moi qui danse dans mon studio. Maintenant que j'ai eu quelques instants pour comprendre, je sais que ce sont toutes des vidéos prises par Corentin. On voit Lucien qui danse, de son côté, reproduisant mes mouvements de kara-ballet. Il a pris la peine d'apprendre ma chorégraphie! J'ai à peine le temps de réagir, qu'il s'éloigne et approche le micro de ses lèvres.

*Red angel, Red angel,*
*So far away*
*So close to my heart…*[1]

Comme les filles sur le bord de la scène, immobiles et les yeux brillants, je suis sans mot jusqu'à la dernière note.

---

1 - Ange rouge, ange rouge, si loin, mais si près de mon cœur.

# Chapitre 40

## La belle crotte

Ce n'était pas une crise d'asthme, cette fois. Je reconnais la différence. C'était le contraire, mais en pire. Une chance que la dame devant nous était infirmière. Elle m'a entraînée vers les toilettes et a rapidement déroulé un long bout de papier brun qu'elle a replié pour en faire un semblant de sac.

— Respire là-dedans, m'a-t-elle encouragée.

Je pleurais tellement que mourir asphyxiée était presque le moindre de mes soucis. Grâce à la patience et l'expertise de ma sauveuse, j'ai pu me calmer et enfin respirer librement.

— Merci…

— Est-ce que tes parents sont ici?

— Sûrement quelque part… J'étais avec mes amis… mais c'est pas la peine d'alerter ma mère, ça va aller maintenant, merci de votre aide.

— Je vais retourner dans la salle, mon garçon est déjà sur scène.

— C'est qui, votre garçon?

— Hubert Giroux, tu le connais?

Je secoue la tête.

— Non, mais j'en ai entendu parler. Ne me laissez pas vous retenir, vous devez être très énervée!

— Oh oui!

Une fois la dame sortie de la salle de bains, je suis restée là de longues minutes. Je pleurais tellement que je me suis enfermée dans un cabinet des toilettes pour me cacher. J'ai entendu la voix d'Alexandrine quelques minutes plus tard. J'ai fait la morte même si elle semblait inquiète. Je n'étais pas en état d'expliquer ce qui venait d'arriver.

Samuel Desjardins m'a purement, clairement, simplement et brutalement *flushée*. Il n'avait aucune émotion. Il s'en fiche. Je l'ai vraiment mené au bout de tous les sentiments qu'il éprouvait à mon égard.

Il était amoureux, non? Je n'ai pas rêvé quand il m'a avoué avoir fait semblant de tenir pour les Bruins de Boston juste pour avoir une excuse pour me parler? Il m'a regardée de loin pendant deux ans. DEUX ANS! C'est pas rien! Alors comment se peut-il qu'après tout ça, il ait été capable de simplement arrêter de m'aimer? Suis-je donc SI pire que ça? Est-ce que je perds à être connue? Est-ce que je suis *cute* de loin, mais loin d'être *cute*?

J'ai mal dans mon cœur, dans mes os, dans mes poumons… jusqu'au bout de mes orteils. Mes sentiments pour Xavier Masson passent de la haine à la rage. Il a tout manigancé pour que je subisse cette humiliation. Il ne s'en sortira pas indemne. Personne n'a jamais été aussi méchant, même pas Érica St-Onge. Ce que Xavier m'a fait, c'est impardonnable.

Je suis encore dans le cabinet des toilettes quand j'entends des cris de filles hystériques. La musique vient de commencer. Zut, c'est déjà la fin du spectacle, la dernière fois que Marie-Douce monte sur scène.

— Laura ? Laura ! Je sais que t'es là !

Je sourcille, c'est la voix de Corentin. Qu'est-ce qu'il fait dans les toilettes des filles, celui-là ?

— Laura ! insiste-t-il, sors de ta cachette ! Tu vas manquer la fin du spectacle…

Il tient la porte ouverte et j'entends encore des filles hurler. Il doit être vraiment *hot*, ce Hubert Giroux. Il faudra que j'aille voir sur YouTube de quoi il a l'air !

— Laisse-moi tranquille, Corentin !

— Pas question ! Je m'en fiche que ce soit les toilettes des filles, je vais venir te chercher que tu le veuilles ou non ! À trois… Un… deux…

— OK, OK ! C'est pas la peine de me faire des menaces.

J'ouvre la porte de la cabine et je cache mon visage bouffi et rougi d'une main tout en détournant la tête. Corentin lâche la porte et entre dans la pièce.

— Hé…, regarde-moi, Laura…

– Non. Tu peux retourner à ta console de son. Je vais juste me laver les mains et j'arrive…

Mais mon ami ne veut rien entendre, il s'approche et saisit mon poignet pour l'éloigner de mes paupières humides (mouillées, trempées, inondées !).

– Oh, Laura… je sais ce qui s'est passé. Xavier me l'a dit.

– J'imagine qu'il est fier ? Je… je… *l'haiiiis* tellement…

Un nouveau sanglot m'étrangle, j'en ai du mal à m'exprimer. Je suis laide quand je pleure, il faut que je cache mon visage avant que Corentin me voie. Il semble avoir compris parce qu'il me serre contre lui, m'entoure d'un bras et saisit ma nuque d'une main pour coller ma joue à son épaule.

– Shhhh… Vas-y, pleure un bon coup. Tu peux mouiller ce pull, je l'aimais pas de toute façon.

– J'allais m'excuser… Je voulais lui dire que je l'aime et que je ne savais pas comment agir pour que ça aille bien entre nous. Je voulais lui dire que je m'ennuyais de lui… Il m'a pas laissé la chance ! Étais-tu au courant que Samuel voulait casser pour de vrai ?

– Un peu…

– Pourquoi tu m'as rien dit ?

Corentin émet un petit rire sec.

— Comment dire une chose aussi brutale à sa meilleure amie, hein ?

— Je suis ta meilleure amie ? dis-je en reniflant contre le lainage de son chandail.

Il me serre encore plus fort, nous berçant doucement.

— Bien sûr, tu as été la première à me faire sentir chez moi au Québec. Tu fais partie de ma vie, t'es toujours dans mes pattes, tu te mêles de toutes mes affaires. «T'es ma crotte flottante qui ne veut pas *flusher* », comme vous dites si bien…

J'éclate de rire… puis je me remets à sangloter.

# Chapitre 41

## Un super cadeau ♡

Voilà donc pourquoi j'avais une loge à moi toute seule! Le colosse à cravate, c'était le fameux Mike, son garde du corps. Corentin était de connivence avec Lucien depuis des semaines. Ça explique pourquoi il s'est porté volontaire pour s'occuper de la console de son. Toutes ces photos et vidéos… c'était pour Lucien. Même Hubert Giroux était complice, il en avait glissé un mot sur sa chaîne YouTube. Il n'avait pas dit quoi ni comment. Je n'ose pas imaginer l'ampleur de la foule s'il avait mentionné Lucien.

Tout se met en place, maintenant. Tout, sauf cette sensation de tristesse qui ne me lâche pas. Comment être à la fois si heureuse et avoir le goût de pleurer? Je ne me comprends pas moi-même. Ça doit être parce que je viens de vivre trop d'émotions à la fois: trac, nervosité, stress (de tomber à cause de Mathis), surprise, bonheur… C'est peut-être parce que mon cerveau (ou mon cœur?) a atteint sa capacité maximale d'absorption? Suis-je en train de devenir folle?

Une fois le rideau tombé, j'ai à peine pu voir mon père et Nathalie, Miranda et Valentin, et recevoir les fleurs traditionnelles, que je suis guidée vers une camionnette noire conduite par Mike, le colosse, en personne. Sur la banquette arrière, sous le regard sombre de Mike qui nous observe dans son rétroviseur (mon père l'a averti de « surveiller » Lucien ! La honte totale !), mon amoureux ne lâche pas ma main. Il attache lui-même ma ceinture de sécurité. On dirait qu'il a peur que je m'envole par la fenêtre. Pourtant, la vitre teintée est levée, il n'y a aucun danger.

— Corentin et Laura devaient venir avec nous, je ne sais pas où ils sont passés, dit Lucien.

— Il ne wrépond pas à son celluléwre, dit Mike, avec un accent anglais.

— Lui as-tu laissé un message pour lui dire de nous rejoindre chez lui ?

— Non, mais je vais le fèwre !

— *Thanks,* Mike !

Je mentirais si je disais ne pas aimer me retrouver (presque) seule avec Lucien en ce moment. Juste être en sa présence, sans trop de distractions, c'est précieux. J'ai eu si peur de ne jamais le revoir. Cependant, que Laura soit introuvable, ça m'inquiète. Ce n'est pas le genre de ma sœur de ne pas m'attendre avec impatience pour me féliciter. Pas que je le mérite tant que ça, mais c'est juste bizarre venant d'elle. Oooh ! je n'aime pas ça du tout… Je dois me raisonner. Laura est une grande fille. Et puis, elle est peut-être avec Alexandrine et Clémentine, ou bien avec Samuel ! Oh, mais j'y pense, elle allait lui parler. C'est sûrement pour ça qu'elle n'est pas là.

Malgré mon inquiétude concernant Laura, je dois savourer chaque instant avec Lucien.

*Il est là !*

*Il est là !*

Si je me laissais aller, je ferais la roue autour du véhicule !

– T'avais planifié ça depuis quand ?

Lucien sourit à cette question. Il est parti depuis à peine un mois, mais il a déjà changé. Il semble avoir embelli depuis la dernière fois que je l'ai vu. Comme si c'était possible… Je ne sais pas si ce sont ses cheveux ou quelque chose dans sa posture. Son teint est plus bronzé, sa mâchoire plus dessinée, ses traits sont plus affirmés, mais il a comme un voile de tristesse dans le regard. Ça me fait mal au cœur de le constater. Il est une *star*, il est adulé des filles partout sur la planète, pourtant, il semble plus vulnérable qu'avant. Comme si sa nouvelle vie l'avait affecté. Ça doit être une pression immense sur ses épaules.

– J'ai commencé à écrire les paroles de *Red Angel* dès que j'ai reçu ta photo prise par Corentin le jour où tu as teint tes cheveux.

– T'as dû avoir un choc !

– Oui… mais parce que je te trouvais trop géniale. Tu avais l'air d'un ange coquin. J'ai placé cette photo en fond d'écran de mon téléphone !

– Alors, tu savais pour mon spectacle et mon rôle…

– J'avais demandé à Corentin de documenter tout ce qui se passait dans ta vie. Je suis désolé… ça semble un peu cinglé… J'avais besoin de m'accrocher à quelque chose de réel. Tu étais ma seule inspiration. Surtout que mon père…

Je serre sa main pour ainsi, peut-être, le rassurer un peu.

– Ça ne sonne pas fou du tout. J'aurais dû être là… je n'avais plus mon iPhone. Longue histoire…

Il sourit avec douceur, frôlant ma joue du revers de sa main. Quand il fait ça, je fonds…

– Je sais ce que tu as fait de ton portable, dit-il.

*Oh non !*

– Oh… tu vas penser que je suis idiote.

– Ne rougis pas, c'est pas grave et c'est un peu de ma faute. J'aurais dû te rassurer. Justement, j'ai une surprise pour toi.

Il ouvre un compartiment situé dans la portière et en sort une boîte de carton. Je devine tout de suite : c'est un nouveau téléphone.

— Wow… t'aurais pas dû…

— La facture mensuelle sera réglée par mon agent. J'ai passé outre aux avis de mon père pour te l'obtenir.

— Mais s'il le découvre ? Il ne veut même pas que tu me parles !

En y songeant, je deviens tendue, presque étourdie. Oh, mon Dieu… Monsieur Smith va-t-il apparaître dès que nous sortirons de la camionnette pour kidnapper son fils et me laisser seule sur le trottoir ?

— Mon père… soupire-t-il. Il pense qu'il fait ce qu'il faut pour mon bien. Il n'est pas méchant, simplement… intimidant. Il ne fait confiance à personne et je pense que ce qui m'arrive, ça l'a dépassé. Il a besoin de contrôler les événements. S'il apprend que je t'ai offert un portable, il ne pourra pas faire grand-chose. Ma mère est intervenue. C'est elle qui a tout organisé pour que je puisse venir te voir. Elle t'aime beaucoup. Et, comme mon père, malgré ses défauts, aime ma mère comme la prunelle de ses yeux, tu n'as pas à t'inquiéter. Quand Jessica dit quelque chose, Jake finit souvent par se laisser convaincre.

— OK… si tu le dis… Mais dans tes messages sur Skype, tu semblais si… emprisonné !

– Je l'étais… mon agent dit que c'est une phase normale. Il faut que mes parents se fassent à ma nouvelle vie. Je suis encore mineur. Je ne te cacherai pas que mon père et moi, nous avons eu plusieurs altercations. Si j'étais adulte, ce serait entièrement différent.

Je suis loin d'être convaincue que ce soit si simple avec Jake Smith. D'après ce que j'ai lu sur Skype, je sentais vraiment Lucien en détresse ! En même temps, de savoir que ce monsieur a de forts sentiments pour sa femme, ça me rassure beaucoup.

– Ouvre, dit-il en pointant la boîte contenant le cellulaire. J'ai déjà programmé Skype et j'ai mis mon numéro de téléphone en composition abrégée. Ne t'en fais pas pour les appels outre-mer.

– Wow… merci…

– Je veux que tu m'appelles, Marie… n'importe quand. Si je ne peux pas te parler, je ne répondrai pas. Ne pense jamais que tu me déranges, OK ? Ne regarde même pas l'heure, il se peut que je puisse te répondre en pleine nuit, après une représentation.

Ah, c'est vrai, le fameux décalage horaire… Je hoche la tête, la gorge nouée par l'émotion.

– Je t'ai installé aussi tes jeux préférés, continue-t-il. Tu pourras planter ton blé, ton maïs, nourrir tes poules… J'ai même commencé à jouer moi aussi pour qu'on puisse s'échanger des trucs.

– Mais t'aimes pas ce genre de jeu ! Tu m'as pas déjà dit que tu trouvais ça « ringard » ?

– Puisque c'est la seule chose qu'on pourra faire ensemble, alors, j'ai un peu changé d'avis. Mais attends, je t'ai téléchargé des jeux plus *cool* ! Je vais te faire découvrir d'autres univers, ma petite Marie…

– Ça y est, je vais devenir un monstre et je ne ferai plus rien d'autre dans la vie. Je vais regarder tes nouvelles photos et…

– Et tu vas écouter ta chanson, elle est dedans. Et j'ai remis toute la collection que tu as lancée à l'eau avec ton appareil…

Cette fois, c'est moi qui m'avance pour l'embrasser. La sensation du rouge à lèvres me rappelle que j'ai encore mon maquillage de scène, faux cils inclus. Avec la présence de Lucien, j'ai tout oublié ! Il semble que nous ayons eu la même pensée :

– J'ai hâte que tu te démaquilles. Ma vraie Marie me manque, murmure-t-il.

# Chapitre 42

## Les deux rejets

Je ne peux pas croire que j'ai manqué l'apparition de Lucien! Avec mes larmes, j'ai aussi fait rater à Corentin cette surprise à laquelle il a travaillé depuis des semaines. Mais j'étais inconsolable.

Il a suggéré de revenir dans la salle, mais quand il a vu que j'étais accrochée à son chandail, incapable de bouger, il n'a pas insisté. Maintenant que le torrent est passé, je me sens vraiment mal.

— Pourquoi tu m'as pas entraînée de force, Corentin? J'aurais voulu voir la face de Marie-Douce quand elle a reconnu Lucien! Et je ne te pardonnerai jamais de m'avoir caché tout ça! Voyons donc! Pourquoi tu me l'as pas dit que Lucien s'en venait?

— Dis-le-moi franchement, aurais-tu été capable de garder le secret? me demande Corentin en souriant avec assurance.

*Il connaît déjà ma réponse...*

— OUI! Bon, OK, peut-être pas...

Son bras autour de mes épaules, nous marchons sur l'avenue Saint-Charles, en direction de Vaudreuil-sur-le-Lac. Miranda et Valentin nous ont proposé de nous ramener, Hugo et ma mère aussi, mais Corentin a refusé. «Marcher fera du bien à Laura», a-t-il insisté.

— Euh... c'est tout de même cinq kilomètres, ai-je protesté.

*Une chance que je n'ai pas mis mes nouveaux souliers comme hier…*

— Ouaip, et c'est parfait. Tu auras le temps de digérer ta peine avant de voir la fille la plus heureuse et amoureuse de l'univers. Et pour être honnête, ça me fera du bien aussi…

Nous marchons en silence durant plusieurs minutes. Arrivée devant l'église Saint-Michel, je ne retiens plus LA question qui me brûle les lèvres.

— T'as encore de la difficulté à les voir ensemble ? Pourtant… ce qui arrive, c'est grâce à toi ! T'as tout arrangé !

— Ouais… Ça m'a tenu occupé.

Je secoue la tête.

— On est tellement les deux « rejets » ! dis-je, avec autodérision.

— Oh oui… Mais moi, j'ai une « prétendante », t'as oublié ?

— Tant que tu ne te laisses pas charmer par Érica St-Onge, tout va bien aller.

— Aha ! Je le savais que j'étais surveillé… mais je m'en fiche d'Érica. Non, je parlais plutôt de ma future épouse : Clémentine. J'avoue que l'idée de passer le reste de mes jours avec une fille qui ne parle pas…

Il reçoit un coup de coude dans les côtes.

– *Ouchhh !* Je blaguais !

– T'étais mieux de blaguer. Pauvre Clémentine, elle a vécu des choses tristes !

– Xavier aussi… dit Corentin. Ne me frappe pas, je sais, tu le détestes. Un jour, peut-être tu vas l'aimer…

– Jamais !

– Tu devrais essayer, il est ta « crotte qui ne veut pas *flusher* », tu sais ! T'as pas fini de le supporter…

– Sérieusement ! Il est comment, quand je ne suis pas là ?

– Normal, c'est un pote comme les autres. Il n'a pas la langue dans sa poche, mais je dirais qu'il est grave quand tu es dans les alentours. Tu réveilles le démon en lui !

– Je demeure convaincue que je ne fais que le forcer à montrer son vrai caractère.

– C'est pas moi qui l'ai dit…, ricane Corentin. Vous êtes peut-être des âmes sœurs…

Corentin ne comprend rien ! Il ne semble pas voir à quel point Xavier est méchant. Vaut mieux changer de sujet.

– T'es vraiment un super ami, Corentin. Je suis sûre que cette énorme surprise, tu l'as faite davantage pour Lucien que pour Marie-Douce, je me trompe ?

Il soupire comme si ça lui faisait mal d'en parler. Il éclate même de rire, mais je sens bien que c'est pour éviter de pleurer.

— Peut-on changer de sujet? Parle-moi de Clémentine, ma future femme. Me voit-elle encore dans sa soupe? Au moins, en voilà une qui a du goût…

Je fais mine de réfléchir très très fort, allant jusqu'à froncer les sourcils et frotter mon menton.

— Mmmm, je ne sais pas si elle te trouve encore de son goût. T'as pas été très efficace pour montrer ton intérêt! Tu ne lui parles jamais!

— C'est parce que j'en ai plein les bras avec vous deux.

— Ouin… surtout avec moi, aujourd'hui. Une chance que t'étais là…

Sans hésiter, il dépose un bec sonore sur mon front.

— Je serai toujours là pour toi, Laura.

— Tu crois que Samuel peut changer d'idée? Si je vais lui confier ce que je voulais lui dire? J'avais tout répété dans ma tête des milliers de fois. J'ai juste pas eu la chance de parler… Je voulais lui dire clairement ce que je ressentais…

— Je pense que rien n'est jamais perdu. Même Xavier… Il peut te sembler le pire être humain de la planète…

Pourquoi faut-il toujours parler du tarla ? Je me dégage de son étreinte et je couvre mes oreilles.

— Parle-moi plus jamais de LUI !

— Hé… laisse-moi finir, insiste Corentin.

Je croise les bras, sur la défensive, convaincue qu'il n'y a rien que Corentin puisse me dire qui changera mon opinion. Xavier Masson est une ordure, point final.

— Vas-y, mais après, on n'en parle plus !

— Il ne t'est pas venu à l'esprit qu'il ait pu te séparer de Samuel délibérément ? s'exclame mon ami.

— Ben oui ! C'est exactement ce qu'il a fait ! En plus, il a… il a… tout arrangé pour que je sois humiliée !

Je rage tellement que j'en ai les poings serrés !

— Nah… je veux dire qu'il y avait peut-être un peu de jalousie là-dessous ?

— Pouah ! Jalousie ! Méchanceté ! Tout le bataclan ! C'est juste un fauteur de troubles qui n'aime que lui-même et qui adore voir les autres souffrir !

Corentin me fait un petit sourire en coin en secouant la tête. Est-ce qu'il se moque de moi ?

– Tu ne comprends vraiment rien, hein ?…

– Au contraire, cher Corentin ! J'ai compris de ne plus JAMAIS, au grand JAMAIS, croire ce qui sort de la bouche de cet imbécile de Xavier Masson !

# Chapitre 43

*L'escapade
des amoureux*

Ainsi, Laura et Corentin ont décidé de marcher jusqu'ici? J'ai bien hâte de savoir quelle mouche les a piqués! C'est une bien longue promenade, entre la Cité-des-Jeunes et Vaudreuil-sur-le-Lac. J'ai demandé à Miranda si elle en connaissait la raison.

— Je n'en ai aucune idée! Laura semblait un peu tristounette et Corentin ne la lâchait pas d'une semelle... Ils étaient collés...

— Comment ça, collés? Qu'est-ce que tu veux dire par «collés»? Est-ce qu'ils s'embrassaient?

Miranda incline la tête, comme si elle devait réfléchir...

— J'ai même pas pensé à ça. Est-ce que tu crois que Laura et Corentin pourraient...? M'enfin... il me semble qu'ils ne sont pas, euh... amoureux... Oh, mon Dieu! Penses-tu qu'ils sortent ensemble? demande-t-elle, ses grands yeux bleus tout à coup ronds comme des billes.

— Si c'est le cas, intervient Valentin, alors Laura ne pourra plus dormir ici!

— Hé... ho... Wô les moteurs! s'exclame Lucien. Je ne pense pas que Corentin soit amoureux de Laura. Si c'était le cas, je le saurais.

— Wow, une autre expression québécoise... décidément, t'as fait des recherches!

Évidemment, je ne lui mentionne pas qu'il s'est trompé dans l'accent, il est trop mignon… Il me fait un grand sourire, il semble si fier de lui !

— Bin kin ! *Swing* la bacaisse dans l'fond d'la boéte à bois ! s'exclame-t-il.

Évidemment, on entend son accent dans sa tentative de joual, mais je suis impressionnée par l'effort !

— Hein ! T'as appris ça pour de vrai ?

— Ça fesse dans le *dash* ! ajoute-t-il, totalement hors contexte.

Je ris tellement que j'ai mal au ventre. Sa mère, Jessica, regarde son fils d'un drôle d'air. D'après son expression, elle ne comprend pas !

— Toé, t'es smatte en ciboooolak…, dit-il encore.

Ça y est, j'en ai des larmes aux yeux et je suis incapable de parler. Ça fait longtemps que je n'ai pas ri autant !

— Oh, Lucien, j'ai presque oublié de t'offrir une limonade, s'exclame Miranda.

Depuis que nous sommes rentrés à la maison, elle se fend en quatre pour attirer l'attention de mon amoureux. Il faut dire que ma mère se laisse facilement impressionner par les célébrités… Et même si elle connaissait Lucien « avant », c'est oublié! Pour elle, il ne sera plus jamais un garçon «ordinaire»…

– Vous n'avez pas oublié, madame Cœur-de-Lion. Je n'ai pas plus soif que tout à l'heure… Vous êtes une trop habile hôtesse pour oublier d'offrir une boisson à vos invités!

Oh, mon Dieu! Miranda ne se rend même pas compte que Lucien vient de l'envoyer promener. Il me fait un clin d'œil enjoué. Ce qu'il voulait vraiment dire, c'est plutôt: «Ça fait quatre fois que vous m'offrez une sacrifice de limonade, j'ai pas soifffff!!!» Il a tellement le tour de charmer les «dames», qu'il en est un danger public!

– Je vais me changer… et me démaquiller!

– As-tu besoin d'aide? me demande Biche, qui a aussi été invitée à la maison.

Miranda a organisé une soirée avec quelques invités. Au départ, mon spectacle en était le prétexte, mais j'ai vite compris que ce n'était qu'une raison bidon parce qu'elle ne pouvait pas révéler que sa grande amie Jessica Varnel y serait avec son illustre fils, Lucien. La véritable motivation pour tout ce flafla, ce sont eux, et non mes steppettes.

– Non, merci, Biche!

Je voudrais embrasser Lucien avant de monter, mais tous les yeux sont rivés sur nous. À la place, je lui fais un petit salut de la main en souriant comme une belle nouille. Lucien me sourit et mime de ses lèvres : « Dépêche-toi ».

Une demi-heure plus tard, je redescends, fraîche et dispose. Avant que j'atteigne la dernière marche, Lucien attrape ma main et m'entraîne à toute vitesse vers la terrasse.

– Hé, je fais attendre tout le monde !

– Si on ne sort pas, « ils » ne nous laisseront pas tranquilles. Ta mère…

– Ouiiiii, je saaaais ! Miranda est un peu trop fière de ton succès ! Mais, euh… tu la manipules, tu dois avouer !

Il hoche la tête en riant alors que nous passons la porte vitrée qui ouvre sur la terrasse. Les feuilles mortes virevoltent à nos pieds. Il fait déjà noir et il n'est que 17h. Personne n'a pensé à allumer les lumières de la cour, nous sommes pratiquement dans le noir. Lucien recule et s'appuie au mur de pierres blanches, là où personne ne peut nous voir de l'intérieur de la maison.

– As-tu froid ?

Je hausse les épaules pour ne pas me plaindre, mais en réalité, je suis frigorifiée. Je sors d'une douche chaude et je ne porte qu'un jeans et un chandail ordinaire, celui que Laura m'a offert pour mon anniversaire. C'est mon favori, il est toujours sur le dessus de la pile et c'est le premier que je porte sans même réfléchir.

— J'ai bien pensé que tu ne dirais rien. Viens là, t'as la chair de poule et tes cheveux sont encore mouillés, dit-il en ouvrant sa veste de jeans pour que je me blottisse contre lui. J'étais pressé de te voir sans tout ce maquillage de scène, j'ai eu du mal à te reconnaître. T'es encore plus belle que dans mes souvenirs…

Sa bouche trouve la mienne. J'ai tellement rêvé à ce moment !

Quelques secondes plus tard, je passe une main dans mes cheveux rouges.

— J'espère que t'étais pas trop attaché à mes anciens cheveux.

Je dois lever la tête pour le regarder. Son expression est troublante. Comme un mélange d'attendrissement, de joie, d'espoir, mais aussi de regret. D'une main lente, il me vole la mèche que je tournais entre mes doigts.

— C'est à toi que je suis attaché, pas à tes cheveux. Et puis, c'était une super idée. À tel point que j'en ai écrit une chanson.

– Elle est tellement belle, la chanson. Et ce montage vidéo, un vrai coup de génie. Je ne peux pas croire que t'aies pris la peine d'apprendre ma chorégraphie de kara-ballet !

Il rit doucement.

– Ah, c'est comme ça que ça s'appelle ? J'ai eu beaucoup de *fun* à l'apprendre. J'ai craint que tu sois fâchée qu'on t'ait mise dans le clip sans t'en demander l'autorisation…

– Comment pourrais-je être fâchée ? Avec ma permission, il n'y aurait pas eu de surprise !

Il m'embrasse encore, puis presse son front contre le mien.

– Tu m'as manquée, Marie…

– Toi aussi ! Allons marcher, juste nous deux. C'est superbe au bord de l'eau, tu vas voir !

– Bonne idée ! Attends, reste là, je vais chercher nos manteaux !

# Chapitre 44

## Transplantation de personnalité

Si ce n'était de cette soirée à laquelle Miranda tient mordicus, j'irais me cacher sous ma couette, vêtue de mon pyjama à motifs de lapins blancs. Je demanderais à Gisèle de me faire des gaufres avec de la crème fouettée que je mangerais dans le noir, sous mes couvertures, avec ma lampe de poche.

Samuel m'a laissée pour de vrai. Fini le mystère, finie l'attente, fini l'espoir. Il s'est tanné de mon comportement ridicule. Il a raison. Si j'étais lui, moi aussi, j'aurais perdu patience avec la «fille compliquée». Dans le fond, celle qu'il a aimée pendant deux ans, ce n'était pas vraiment moi. C'était plutôt l'idée qu'il se faisait de celle que j'étais. Je l'ai déçu.

J'ai eu beau chercher, Marie-Douce et Lucien semblent s'être enfuis pour être seuls. Je suis contente pour elle, mais... déçue en même temps. J'avais si hâte de la voir. J'ai besoin de lui parler !

– La Terre appelle Laura…

C'est Miranda. Elle me tend un verre rempli d'un liquide rose gazéifié.

– C'est quoi ?

– Un Shirley Temple. 7up et grenadine ! Goûte, tu vas aimer.

J'accepte la boisson et j'en avale une longue gorgée. J'étais déshydratée à force de pleurer et cette marche interminable avec Corentin m'a éreintée. J'aurais pu remplir une piscine de toutes les larmes que j'ai versées depuis mon escapade dans les toilettes de la salle Agathe-Patry. Une petite pause dans le placard d'urgence est très tentante…

— Merci…

— Tu sais, Laura, un de perdu, dix de retrouvés ! dit Miranda avec un petit sourire complice.

— Comment t'as deviné…

— Entre femmes… euh… ou filles, on sait reconnaître ces choses-là. Et puis, tu as les yeux bouffis. Il faudrait que tu ailles te mettre une compresse d'eau froide. Biche ! Viens par ici s'il te plaît !

— C'est pas nécessaire…

Mais Biche est déjà là et me regarde comme si j'étais une bibitte à étudier.

— Il faut dégonfler ses paupières, tu peux faire quelque chose ? demande Miranda.

Tout à coup, j'ai l'impression que c'est davantage parce que je lui fais honte que pour m'aider… Certains invités sont des gens de la télé, des amis de Valentin. Moi, je m'en contrefiche de ces gens-là. Miranda semblait pourtant devenue *cool*, mais, comme ma mère dit toujours : « Chassez le naturel, il revient au galop ! » Et pour Miranda, les apparences, c'est crucial. Je me demande d'ailleurs qui j'aurais à impressionner ici! Aaah je vois… c'est la mère de Lucien. Oh, mon Dieu! Est-ce que ça veut dire que le vilain monsieur Smith est ici aussi? Aaaaah, lui, je ne pourrais pas lui faire de sourire hypocrite après la façon dont il a traité Lucien!

— Viens, Laura… On va s'occuper de tes yeux enflés, et peut-être discuter un peu, toutes les deux! Qu'en dis-tu?

Quand Biche sort le tube d'onguent pour hémorroïdes, j'ai le réflexe de fuir!

— Arrête de faire l'enfant, Laura, c'est un vieux truc pour les yeux pochés. Cette pommade aide à réduire l'enflure, et pas seulement celle entre les f…

— Shhhhh! Je ne veux pas le savoir!

— D'accord, dit-elle en souriant. Ne bouge pas… Regarde en l'air… Alors, tu me racontes ce qui s'est passé pour te mettre dans cet état?

L'histoire n'est pas longue à résumer: Xavier me tend un piège, je tombe dedans, Samuel me largue et je pleure toutes les larmes de mon corps. Biche est gentille, elle veut bien faire, mais ne peut pas accomplir de miracles. Elle me parle du fait que je n'ai que treize ans (bientôt quatorze!) et que j'ai encore bien des relations à expérimenter dans ma vie. Elle m'assure que je suis une jolie jeune fille qui a tout pour réussir et qu'ils feront la file à ma porte (ah ouais ? Où est-elle donc, cette fameuse file ?). Bla-bla-bla… Elle essaie de me faire comprendre qu'il n'y a pas que Samuel Desjardins sur la Terre et que je dois être heureuse seule avant de l'être avec un garçon. Tout ça, ce n'est rien de plus que ce que j'ai lu dans les magazines que Miranda accumule dans le solarium. J'ai même fait 100 000 tests pour savoir si je suis une fille indépendante ou non. J'ai plutôt bien réussi. Je suis zéro dépendante (sauf que je me morfonds tout le temps).

Biche finit par retourner auprès des convives et j'ai enfin quelque minutes seule avec mon iPod. Alexandrine m'a écrit, je m'y attendais !

**AlexDrine**
OH, MON DIEU ! Laura, je suis DÉSOLÉE ! J'ai vérifié avec ma tante et je n'ai pas utilisé la bonne méthode pour protéger ton énergie ! À la place, je pense que je t'ai <u>retiré</u> ton énergie positive !

*EN EFFET !*

**Laura12**

Allô... ouin, ça n'a pas bien été avec Samuel. J'aurais eu besoin d'une baguette magique... ou d'une transplantation de personnalité! J'ai trop gaffé avec lui!

**AlexDrine**

T'as pas besoin de changer de personnalité, t'as juste besoin de la bonne séance énergétique. Je suis certaine d'avoir manqué mon coup. J'ai su ce que Samuel t'a dit (hé oui, tout le monde est déjà au courant grâce à Samantha qui l'a dit à Érica... grrr) et moi, j'ai pu passer du temps avec Xavier! Ç'a bien été...

Bien été? Pourtant, Samuel m'a dit que Xavier pensait qu'Alex était conne... Et il n'est pas du style à ne pas faire savoir ce genre de chose à la personne qu'il trouve idiote!

**Laura12**

Xavier a été *cool* avec toi ? Il a dit quoi, raconte !

**AlexDrine**

On n'a pas beaucoup parlé. Il m'a dit «Salut» et puis ensuite, on était dans le noir, côte à côte... whuuuu ! Juste ça, c'était vraiment bizarre ! Son bras frôlait le mien... Je capotais ! Puis, il y a eu cette apparition de Lucien qui a surpris tout le monde... Mais sérieusement, je pense que j'ai gâché ton karma. J'étais censée TE donner de la bonne énergie et non le contraire ! Je suis désolée ! Je suis encore juste une apprentie sorcière. Ma tante m'a dit tantôt que ça prenait des années avant de pouvoir faire des trucs sans occasionner de problèmes... Elle m'a dit que j'ai pu te causer une autre sorte d'effet sans le vouloir !

**Laura12**

Pas de ta faute si Samuel ne veut plus rien savoir de moi...

**AlexDrine**
Je sais... c'était déjà décidé d'avance. J'ai peut-être causé autre chose. Sois prudente, OK ? Je ne voudrais pas t'avoir occasionné d'autres malheurs.

Wow, Alexandrine se prend vraiment au sérieux. Elle y croit tellement, je ne vais pas péter sa bulle...

**Laura12**
De toute façon, l'énergie, le sort, ou peu importe ce que tu m'as fait, doit s'être évaporé à l'heure qu'il est. Mais je serai tout de même prudente...

**AlexDrine**
OK... et penses-tu que je devrais écrire à Xavier ? J'ai trouvé son compte Instagram... Tu crois que je devrais lui envoyer un message sur Instadirect ?

*NON !!!! Vite une façon de l'empêcher à tout prix ! J'ai peur que Xavier lui fasse de la peine !*

**Laura12**
Ne t'abonne pas à son compte avant qu'il le soit au tien !

Je trouve ça ironique qu'entre toutes les personnes, JE sois celle qui donne des conseils... Mais il faut à tout prix qu'elle soit prudente avec Xavier Masson. Il est tellement imprévisible...

# Chapitre 45

*Le lanceur de roches*

Il y a un jeune homme au bord de l'eau. Je me souviens avoir déjà joué là, quand j'étais petite. Je sautais d'un rocher à l'autre, prétendant me retrouver dans un monde fantastique et que la lave coulait entre chacun. Le garçon lance des cailloux dans le lac, ceux-ci rebondissent plusieurs fois avant de disparaître au loin. Il est fort. Moi je n'ai jamais réussi à faire autant de ricochets d'un seul coup.

— Quand j'étais petite, j'ai dû en lancer des millions ! Mais la dernière fois que j'ai lancé quelque chose dans l'eau d'un lac, c'était mon iPhone, dis-je en riant.

— Viens, rejoignons-le ! dit Lucien, en accélérant le pas comme un gamin excité.

— OK... mais le gars veut peut-être être tout seul...

Trop tard, Lucien est déjà loin devant. Il court vers la plage avant de se retourner sans cesser de jogger.

— Allez, lambineuse !

— Hé, où as-tu pris cette expression ?

— J'ai acheté le dictionnaire des mots québécois ! Quand je décide que je fais quelque chose, je le fais à fond ! Et puis, en France, nous disons lambine...

*Aaaaaaah ! Voilà qui s'explique !*

J'accélère le pas en riant. Il fait frais, mais le temps est tout de même agréable. Lucien a pris mes gants et ma tuque (qu'il appelle un bonnet ; d'après moi, il ne s'est pas rendu à la lettre T dans son fameux dictionnaire).

En nous approchant, je reconnais le lanceur de cailloux. C'est Xavier Masson, l'orphelin que le père de Laura a recueilli chez lui. Il semble surpris de nous voir là. Mais pas seulement. Son expression est troublante. A-t-il… pleuré ? Avec tout ce qui s'est produit, j'en suis venue à oublier qu'il est en deuil de son père…

— Salut, Xavier ! Si tu veux être seul, on va s'en aller…

Ce dernier regarde le sol et soupire.

— Non, ça va. J'allais partir de toute façon.

— Ne t'en fais pas pour nous, dit Lucien.

Xavier dévisage mon amoureux avec surprise. Il vient de le reconnaître.

— Xavier, je te présente Lucien.

Ce dernier lui tend la main droite, que Xavier serre sans le regarder.

— T'as déjà été à notre école… pas longtemps ?

— Ouais… on a dû se croiser. Tu connais Corentin ?

Xavier hoche la tête.

— C'est mon meilleur ami, dit-il.

— Moi aussi !

— Je pensais que Samuel Desjardins était ton meilleur ami, dis-je.

Xavier se penche, saisit un autre caillou et le lance sans répondre.

— On allait retourner chez Corentin, justement… tu veux venir ? Tu ne sembles avoir rien d'autre à faire… La mère de Marie-Douce a commandé chez un traiteur. As-tu faim ?

Le regard de Xavier passe de Lucien à moi. Il hésite, fixe le sol, relève les yeux… Il semble agité, incertain. Ce n'est pas son genre… D'habitude, Xavier Masson n'est pas timide, loin de là.

— Est-ce que Laura sera là ? finit-il par demander.

# Chapitre 46

*Le meilleur ami*

Pendant que les adultes discutent, un verre de vin à la main, je regarde les mets disposés sur une longue table garnie d'une nappe blanche. Le buffet est composé d'un tas de bouffe qui serait normalement alléchante, mais j'ai l'estomac à l'envers. Je surveille la porte. Corentin a texté à Lucien qui lui a répondu qu'ils reviendraient sous peu. J'ai hâte que ma sœur arrive ! J'ai besoin de son énergie ! Alexandrine a peut-être raison : elle m'a vidée au lieu de me protéger. Parce que c'est comme ça que je me sens, comme une grosse cruche de céramique remplie à ras bord de néant. Pleine de néant.

Je regarde mon iPod toutes les trois minutes. Je me rends compte que je n'ai jamais échangé de messages avec Samuel. Seulement avec sa sœur Samantha et sa tante Constance, mes anciennes amies. Il n'est même pas sur Instagram ! Il fait partie de ces gens qui résistent à internet.

Mon iPod sonne. J'ai un message…

**AlexDrine**
Alerte au MÉGA potin !

**Laura12**
Quoi quoi quoi ?

**AlexDrine**
Es-tu assise ?

*Non…*

**Laura12**
Oui, je suis assise ! Allez ! Arrête de me faire languir !

**AlexDrine**
Samuel et Xavier se sont battus dans le parc après le spectacle.